RENÉ
GIRARD

Realizações
Editora

Impresso no Brasil,
agosto de 2011

Título original: *Anorexie et Désir Mimétique* by René Girard
Copyright © 2008 by Editions de l'Herne
Publicado por meio de acordo com a Agence Littéraire Pierre Astier & Associés. Todos os direitos reservados.

Design Gráfico
Alexandre Wollner
Alexandra Viude
Janeiro/Fevereiro 2011

Diagramação e finalização
Mauricio Nisi Gonçalves
André Cavalcante
Gimenez/Estúdio É

Pré-impressão e impressão
Prol Editora Gráfica

Os direitos desta edição pertencem a
É Realizações Editora, Livraria e Distrib. Ltda.
Caixa Postal: 45321
cep: 04010 970
São Paulo, SP, Brasil
Telefax: (5511) 5572 5363
e@erealizacoes.com.br
www.erealizacoes.com.br

Proibida toda e qualquer reprodução desta edição por qualquer meio ou forma, seja ela eletrônica ou mecânica, fotocópia, gravação ou qualquer outro meio de reprodução, sem permissão expressa do editor.

Editor
Edson Manoel de Oliveira Filho

Coordenador da Biblioteca René Girard
João Cezar de Castro Rocha

Assistentes editoriais
Gabriela Trevisan
Veridiana Schwenck

Revisão
Luciane Helena Gomide
Liliana Cruz

RENÉ GIRARD

anorexia e desejo mimético

René Girard

tradução Carlos Nougué

Realizações
Editora

Esta edição teve o apoio da Fundação Imitatio.

IMITATIO
INTEGRATING THE HUMAN SCIENCES

Imitatio foi concebida como uma força para levar adiante os resultados das interpretações mais pertinentes de René Girard sobre o comportamento humano e a cultura.

Eis nossos objetivos:

Promover a investigação e a fecundidade da Teoria Mimética nas ciências sociais e nas áreas críticas do comportamento humano.

Dar apoio técnico à educação e ao desenvolvimento das gerações futuras de estudiosos da Teoria Mimética.

Promover a divulgação, a tradução e a publicação de trabalhos fundamentais que dialoguem com a Teoria Mimética.

sumário

9
anorexia e a era da mediação interna
João Cezar de Castro Rocha

17
prefácio
Jean-Michel Oughourlian

23
introdução
a anorexia e o espírito do tempo
Mark R. Anspach

39
distúrbios alimentares e desejo mimético
René Girard

73
uma conversa com René Girard
Mark R. Anspach e Laurence Tacou

95
referências bibliográficas

97
breve explicação

99
cronologia de René Girard

103
bibliografia de René Girard

106
bibliografia selecionada sobre René Girard

115
índice analítico

117
índice onomástico

sumário

9
anorexia e a era da mediação interna
João Cezar de Castro Rocha

17
prefácio
Jean-Michel Oughourlian

23
introdução
a anorexia e o espírito do tempo
Mark R. Anspach

39
distúrbios alimentares e desejo mimético
René Girard

73
uma conversa com René Girard
Mark R. Anspach e Laurence Tacou

95
referências bibliográficas

97
breve explicação

99
cronologia de René Girard

103
bibliografia de René Girard

106
bibliografia selecionada sobre René Girard

115
índice analítico

117
índice onomástico

anorexia e a era da mediação interna

João Cezar de Castro Rocha[1]

Anorexia e Desejo Mimético, à primeira vista, pode parecer um título surpreendente na vasta produção do pensador francês René Girard.[2] Afinal, a teoria mimética, por ele desenvolvida ao longo de cinco décadas, tem como fundamento uma compreensão particular do desejo humano, tal como exposta em seu primeiro livro, *Mensonge Romantique et Vérité Romanesque* (1961).[3] A intuição girardiana pode ser sintetizada numa frase-valise, a partir da qual o pensador francês desenvolveu o conjunto de sua teoria: *o desejo humano não é autônomo*. Pelo contrário, origina-se numa relação triangular, na qual o *sujeito* somente aprende a desejar determinado *objeto* a partir do aval concedido por um *modelo*. Em outras palavras, entre *sujeito desejante* e *objeto desejado* não há, segundo a perspectiva girardiana, nenhuma via de acesso direto, mas inúmeras formas de

---

[1] Professor de Literatura Comparada da Universidade do Estado do Rio de Janeiro (UERJ).
[2] Ver, no final deste livro, a "Cronologia de René Girard" e a "Bibliografia de René Girard".
[3] René Girard. *Mentira Romântica e Verdade Romanesca*. Trad. Lília Ledon da Silva. São Paulo, Editora É, 2009.

mediação, cujo eixo é determinado pelas posições relativas do modelo-mediador e do sujeito.

Uma vez estabelecidas tais posições, definem-se duas matrizes de relacionamento. De um lado, a *mediação externa*, na qual sujeito e mediador encontram-se muito distantes um do outro, o que por si só praticamente inviabiliza a eclosão de conflitos. De outro, a *mediação interna*. Nesse caso, pelo contrário, a proximidade real entre sujeito e modelo, que, ao fim e ao cabo, desejam o mesmo objeto, não pode senão gerar conflitos, na iminência da rivalidade mimética que os envolve. Por isso mesmo, Girard dedicou-se ao estudo da centralidade do conflito, isto é, da violência, nas origens da cultura – tema, aliás, de seu segundo livro, *La Violence et le Sacré* (1972).

Vale a pena esclarecer que a triangularidade do desejo equivale a uma poderosa matriz de relacionamentos, cuja pluralidade constitui o maior interesse da abordagem girardiana. Não se trata, assim, de uma formulação determinista, sempre idêntica a si mesma, porém de um entendimento essencialmente dinâmico das relações humanas. Contudo, na teoria mimética trata-se sempre de *desejo*, ou seja, de uma relação triangular que se estabelece entre *sujeito*, *modelo* e *objeto*. Para dizê-lo de forma nada oblíqua: desejo, nessa acepção, implica uma dimensão intrinsecamente *mimética* – ou seja, *adotada a partir da imitação de um modelo*. No entanto, em alguma medida, às vezes em sua totalidade, tal dimensão mimética não contamina a esfera das necessidades fisiológicas ou dos impulsos básicos de sobrevivência.

Eis, então, a surpresa inicial com o título *Anorexia e Desejo Mimético*. Em princípio, a junção dos dois termos pareceria paradoxal. Ora, por que um distúrbio alimentar, relativo ao ato "natural" de comer, interessaria ao criador da teoria mimética? A quem *imitaríamos* ao comer uma fruta qualquer, por exemplo, uma maçã, ou a tomar um singelo copo de água? No "Prefácio", Jean-Michel Oughourlian oferece uma resposta incontornável: "a necessidade natural de comer, de se alimentar, pode ser sobrecarregada mimeticamente para se transformar em desejo e depois em paixão: desejo passional de emagrecer ou desejo passional de empanzinar-se".[4] Portanto, a anorexia e a bulimia, compreendidas como patologias do desejo, podem ser analisadas sob a perspectiva mimética. Nesse caso, contudo, a pergunta segue válida: qual o modelo imitado pelo crescente número de pessoas anoréxicas ou bulímicas? Na verdade, quase sempre anoréxicas *e* bulímicas, já que, aqui, em geral, os extremos se tocam. O leitor talvez se recorde do filme *Cisne Negro*, cuja protagonista transitava com perturbadora tranquilidade da privação constante ao excesso eventual, como se esses polos opostos fossem apenas estações de um trem desgovernado pelo desejo mimético.

Na "Introdução", recorrendo ao estudo clássico de Mara Selvini Palazzoli sobre anorexia e o contexto familiar,[5] Mark Anspach avança uma hipótese instigante: muitos pais de jovens anoréxicas envolveram-se numa *"rivalidade por ocupar o papel da vítima"*.[6] Como se fosse uma

---

[4] Ver prefácio, adiante, p. 19. Na Biblioteca René Girard publicaremos os seguintes livros de Jean-Michel Oughourlian: *Un Mime Nomme Desir: Hysterie, Transe, Possession, Adorcisme* (1982) e *Genèse du Désir* (2007).
[5] Mara Selvini Palazzoli. *L'Anoressia Mentale. Dalla Terapia Individuale alla Terapia Familiare*. Milão, Raffaello Cortina, 2006. A primeira edição é de 1963.
[6] Ver introdução, adiante, p. 35; destaques do autor. Na Biblioteca René Girard publicaremos os seguintes livros de Mark Anspach: *A Charge de*

antecipação involuntária da corrida vitimizadora que caracteriza o politicamente correto nos dias de hoje, quando se assiste a uma incômoda disputa pelo prêmio duvidoso da vítima número um, o casal duela sem trégua pelo reconhecimento de seu sacrifício pessoal na preservação do matrimônio. Numa resposta angustiada, a jovem anoréxica radicalizaria o processo, tornando-se, ela mesma, e, por motivos óbvios, a real vítima da conturbada cena familiar. Sua emaciação deveria eclipsar o conflito dos pais; afinal, pelo menos por uma vez, eles deixariam de preocupar-se com o próprio sofrimento a fim de ocupar-se da saúde da filha. Supõe-se, então, que, pelo menos nesse caso, a anoréxica toma os próprios pais como modelo e deixa de comer como uma forma de imitar-lhes a ânsia de vitimização. Retorne-se ao filme *Cisne Negro*: um dos motivos que leva a jovem bailarina à queda livre da anorexia e da bulimia é precisamente a dificuldade de lidar com a culpa que sua mãe procura incutir-lhe. Ora, como a mãe da protagonista afirma mais de uma vez, colocando-se no papel de vítima, ela teria abandonado o balé ao engravidar. Contudo, ela tinha sido uma bailarina apenas medíocre. Por isso mesmo, busca compensar a frustração artística enfatizando o "sacrifício" exigido pela maternidade. A jovem e talentosa filha revida a chantagem emocional recusando-se a comer ou vomitando o pouco que se vê obrigada a ingerir.[7]

Revanche: Figures Élémentaires de la Réciprocité (2002) e *Oedipe Mimétique* (2010).
[7] O filme *Cisne Negro* possui muitos outros aspectos que podem ser iluminados pela teoria mimética, como a rivalidade exacerbada no meio artístico, a proliferação de duplos miméticos, o desejo metafísico, as alucinações da protagonista e, no final, a resolução sacrificial que não é bem-sucedida. Contudo, nesta apresentação limito-me a assinalar a convergência da trama do filme com o diagnóstico de Mara Selvini Palazzoli e a análise de Mark Anspach.

As reflexões de Jean-Michel Oughourlian e de Mark Anspach esclarecem a dimensão mimética da anorexia e da bulimia, assim como permitem responder à difícil pergunta: pode-se *imitar* alguém em atos tão básicos como alimentar-se e saciar a sede? A resposta é unívoca: *sim*, e, em casos especiais, sabemos a quem se imita: *os próprios pais em seu desejo de vitimização*. Por fim, na entrevista concedida a Mark Anspach e Laurence Tacou, René Girard desenvolve aspectos apenas mencionados no ensaio "Distúrbios Alimentares e Desejo Mimético", complementando desse modo sua reflexão.

A perspectiva aberta pela teoria mimética permite uma leitura única desse problema, cada dia mais atual. Aqui, anorexia e bulimia compõem uma nova tela de Edward Munch, num grito de angústia diante de situações definidas pela estrutura do duplo vínculo, estudada por Gregory Bateson.[8] Situações de duplo vínculo (*double bind*) são marcadas por uma ambiguidade desagregadora da estabilidade emocional, pois implicam a enunciação de dois comandos contraditórios. Nos termos da teoria mimética, o mundo contemporâneo faz do duplo vínculo sua própria razão de ser.

Por exemplo, a propaganda oferece modelos que devem ser *imitados*. Contudo, ao mesmo tempo, valoriza-se a busca da eterna fonte da inovação, cuja lógica seria a de *nunca imitar*. Como reza o refrão popular: *Just be yourself.* Sem dúvida, "seja apenas você mesmo"; aliás, como todos os demais também o são, tornando-se sempre mais semelhantes,

---

[8] Gregory Bateson, *Steps to an Ecology of Mind.* Nova York, Ballantines Books, 1972. A Editora É publicará em breve o livro de Bateson.

sobretudo quando se empenham em ressaltar suas diferenças. Ora, as jovens anoréxicas encontram um modelo "natural" nas inúmeras modelos que dominam as páginas das revistas de moda e os programas de televisão. Como imitar-lhes a não ser pela autoimposição de um regime alimentar draconiano? No entanto, como manter-se saudável e praticar exercícios, outro dogma do mundo contemporâneo, sem alimentar-se adequadamente? Como equilibrar as duas exigências, não apenas contraditórias, mas mutuamente excludentes? Talvez, como muitas jovens declaram com naturalidade, seguir constantemente um regime alimentar rígido, a fim de evitar a necessidade de dietas *mais* rigorosas.

Fiel à complexidade de sua teoria, em lugar de identificar uma origem específica para os distúrbios alimentares – seja um núcleo familiar problemático, seja a escalada da rivalidade mimética ocasionada pela proliferação de modelos midiáticos –, Girard propõe uma hipótese perturbadora: "A maior parte de nós oscila, durante a vida, entre formas atenuadas dessas duas patologias".[9] Portanto, somos todos, ainda que inconscientemente, um pouco anoréxicos e um tanto bulímicos. Como entender a proposição girardiana?

A originalidade da abordagem de René Girard se nutre de sua concepção do mundo moderno, tal como explicitada em *Achever Clausewitz*.[10] Na ótica do pensador francês, o mundo moderno, especialmente a partir da Revolução

---

[9] Ver, adiante, p. 40.
[10] René Girard. *Achever Clausewitz* (Entretiens avec Benoît Chantre). Paris, Carnets Nord, 2007. Livro publicado na Biblioteca René Girard, com tradução de Pedro Sette-Câmara: *Rematar Clausewitz: Além Da Guerra. Diálogos com Benoît Chantre*. São Paulo, Editora É, 2011.

Francesa, caracteriza-se por uma circunstância inédita na história da humanidade: há mais de duzentos anos vivemos num mundo dominado pela mediação interna, vale dizer, pela onipresença de estruturas de duplo vínculo.

Ora, *grosso modo*, o universo da mediação externa, mesmo em função da distância social e simbólica que havia entre sujeitos e modelos, impunha uma hierarquia cuja rigidez deveria manter sob controle a possibilidade de conflitos e, portanto, a explosão de crises de violência. Já o universo da mediação interna, pelo contrário, com base no ideal de igualitarismo revolucionário, estimula a multiplicação de rivalidades mimeticamente engendradas: se todos são potencialmente iguais, como evitar a contaminação recíproca de seus desejos? Ocorre, então, uma escalada mimética, cuja violência não pode senão aumentar na proliferação de rivais disputando os mesmos objetos e almejando as mesmas posições, uma vez que as hierarquias e as proibições são suprimidas.

O célebre conto de Rubem Fonseca, "O Cobrador", trata precisamente desse tema. O protagonista decide obter pela força todos os bens e confortos dos quais foi sistematicamente privado em sua vida, embora a propaganda tenha estimulado seu desejo mimético de todos os modos. Sem condições de ir ao dentista, pois não pode arcar com os custos do tratamento, o cobrador decide reagir: "'Eu não pago mais nada, cansei de pagar!, gritei para ele, agora eu só cobro!' Dei um tiro no joelho dele".[11]

---

[11] Rubem Fonseca. "O Cobrador." *O Cobrador*. São Paulo, Companhia das Letras, 1989, p. 14. O livro foi originalmente publicado em 1979.

Ele começa então a "cobrar" com violência crescente tudo que lhe foi prometido e, ao mesmo tempo, recusado, no sistema de duplo vínculo típico das sociedades contemporâneas. Aliás, o mundo atual, adverte Girard, produz "cobradores" em escala planetária.

Portanto, os distúrbios alimentares são uma forma particularmente visível, vale dizer, propriamente inegável, da crise mimética provocada pelas consequências do predomínio atual da mediação interna. Nesse sentido, Girard sugere que a anorexia é antes de tudo sintoma do espírito do tempo: "O ideal anoréxico da emaciação radical afeta domínios cada vez mais extensos da atividade humana".[12] Em outras palavras, mais do que distúrbios alimentares, convenientemente isolados pelo conhecimento médico, anorexia e bulimia são pontas de um iceberg, cuja estrutura interna traz à tona um traço inquietante do mundo contemporâneo. Com a sagacidade característica de suas análises, Girard conduz o leitor a uma conclusão inesperada: na arte moderna e especialmente na arte contemporânea esse traço converteu-se no próprio motor da atividade: "A palavra 'minimalismo' não designa senão determinada escola, mas resume toda a dinâmica do modernismo".[13]

Num mundo onde cada vez mais *less is more*, a reflexão girardiana, pelo contraste que oferece, assinala uma alternativa valiosa. Aprofundá-la, ou seja, estar à altura dos desafios do tempo presente, é a tarefa do leitor de *Anorexia e Desejo Mimético*.

---

[12] Ver, adiante, p. 61.
[13] Ver, adiante, p. 68.

prefácio
Jean-Michel Oughourlian

Se o apetite vem quando se come, a falta de apetite, ou anorexia, vem quando não se come. É claro, portanto, que a necessidade natural de comer, de se alimentar, pode ser sobrecarregada mimeticamente para se transformar em desejo e depois em paixão: desejo passional de emagrecer ou desejo passional de se empanzinar. Tanto a anorexia quanto a bulimia são, portanto, doenças do desejo, e é a este título que René Girard se interessa por elas. Todo mundo sabe que para René Girard o desejo é mimético e, pois, rival: todo desejo é rival, e toda rivalidade, desejo.

O desejo escarnece da saúde, e a paixão, ao se apoderar do psicológico, já não se preocupa com ela. Nos distúrbios dos hábitos alimentares, a necessidade vai, de maneira exemplar, a reboque do desejo, que é capaz de desviá-la, de pervertê-la e até de suprimi-la.

Dois desejos opostos podem apoderar-se de um ser humano e perverter a necessidade normal de se alimentar: o desejo de jejuar e o desejo de empanzinar-se, a anorexia e a bulimia, acarretando ou o emagrecimento extremo ou a obesidade. Esses dois desejos contrários são representados pelas esculturas e pinturas de dois dos maiores artistas do fim do século XX: Alberto Giacometti e Fernando Botero. As silhuetas filiformes de Giacometti são, evidentemente, resultado de um desejo selvagem de não comer, enquanto as esculturas e as pinturas de Botero representam um mundo de gordos, onde não só os homens e as mulheres são obesos, mas também os gatos e os pássaros. A arte é aqui modelo por imitar, certamente, mas é sobretudo anunciadora e reveladora das patologias do desejo, que marcaram o fim do século XX e prosseguem no início do século XXI.

*

A anorexia mental foi isolada numa identidade nosológica caracterizada pelos três ás: Anorexia, *Amaigrissement* [Emagrecimento], Amenorreia. A interrupção da menstruação é condição fundamental para o diagnóstico, pois a doença é classicamente de moças. Ela afeta, com efeito, majoritariamente as moças, embora os rapazes comecem a ser atingidos.

A anorexia pode apresentar-se sob uma forma clínica simples, de recusa da alimentação, ou sob uma forma mais complexa, de bulimia seguida de vômitos voluntariamente provocados. A perda de peso pode ser buscada igualmente mediante a prática intensiva de esportes ou mediante o uso de laxantes e diuréticos.

*

Do ponto de vista mimético, é fácil constatar que o ideal feminino da beleza é hoje a magreza. As manequins são cada vez mais filiformes e assemelham-se a esculturas de Giacometti. Nenhuma estrela, nenhuma manequim, nenhuma *top model*, em contrapartida, se assemelha a uma personagem de Botero. Uma primeira análise mimética leva a pensar que a atual epidemia de anorexia é um contágio entre as adolescentes desse modelo de beleza anoréxica e filiforme e que elas adquirem mimeticamente o desejo de emagrecer para ser semelhantes a essas deusas cuja magreza é buscada pelo cinema, pela televisão e pelas páginas de papel glacê das revistas.

Mas o desejo mimético também é rival. A psiquiatra americana Hilde Bruch teve uma intuição disso, parece-me, ao relacionar a anorexia a um sentimento de impotência e a uma tentativa de revolta contra essa impotência. A anorexia seria antes de tudo, a seu ver, uma tentativa de controle e uma recusa a qualquer relação que escapasse a esse controle, especialmente o vínculo amoroso e a sexualidade. Essa aproximação me parece interessante por afastar-se das interpretações psicanalíticas sobre a recusa à feminilidade e a identificação com a mãe, para fazer da anorexia verdadeiramente uma doença da rivalidade e, pois, do desejo.

Rivalidade com quem ou com quê? Antes de tudo, consigo mesma, com seu corpo, com suas necessidades, num esforço de dominação e de controle de si que seria, ao mesmo tempo, um desafio e uma forma de ascese. Mas também rivalidade com os outros, luta pelo poder: a anoréxica torna-se muito rapidamente o centro da atenção familiar, e seu prato torna-se uma espécie de circo romano onde se enfrentam os desejos rivais dos que a rodeiam – e que querem que ela coma – e seu próprio desejo, sua recusa, que deixa sem respirar toda a família envolvida nesse combate cotidiano que termina com o recurso ao "poder médico", que manifestará a derrota e a renúncia de seus pais e o aparecimento de um adversário enfim à sua altura.

A anorexia confere assim um poder e assegura o triunfo daquela que se recusa a se alimentar sobre tudo e todos à sua volta. Desse ponto de vista, mantém relações com o terrorismo, tomando-se a anoréxico a si mesma como refém para submeter todo o mundo à sua vontade.

Esse poder adquirido caro, conquistado ao preço de sua saúde e até de sua vida, é sempre e tão somente negativo? Nunca traduz nada além de um agravamento da rivalidade, de uma doença do desejo que encontra sua única justificativa numa vitória de Pirro?

Um altíssimo exemplo vem aclarar esse comportamento com uma nova luz: os célebres jejuns de Mahatma Gandhi. Quando a violência se desencadeava em todo o subcontinente indiano, atiçando à luta os muçulmanos e os hindus, quando nada nem ninguém, quando nenhuma força do mundo parecia poder deter tal violência cega, tais massacres, tais incêndios de mesquitas e templos, Mahatma parou de se alimentar!

Pouco a pouco, ao longo dos dias de jejum, Mahatma se enfraquecia, e sua influência sobre o povo aumentava. Logo, centenas de milhões de indianos já não tinham olhos senão para o prato dele, tremiam por sua saúde e estavam hipnotizados por sua "anorexia". Dia após dia, os jornais e as rádios relatavam a deterioração de seu estado de saúde, o seu enfraquecimento, e faziam temer o pior. Desse modo, esse definhado velho comatoso, pela simples recusa inflexível a se alimentar, conseguia deter a violência de centenas de milhões de homens. Foi preciso Nehru receber o compromisso formal dos líderes de todas as confissões de cessar os combates, foi preciso Nehru pôr-se ao lado do moribundo e assegurar-lhe que a Índia estava totalmente pacificada, para que ele enfim aceitasse uma tigela de caldo. E toda a Índia renascia à medida que Mahatma recuperava as forças.

Em um mundo que René Girard nos descreve como apocalíptico, como um mundo povoado de modelos que são rivais e de rivais que são modelos, não se pode imaginar que esses jovens deixam de se alimentar e põem vida em risco para acabar com a violência que os rodeia? Com a tensão rival antes de tudo no casal formado por seus pais, com a violência entre seus irmãos, com a violência em seu meio, em sua escola, e talvez até com a própria violência do mundo em geral, à qual eles – e sobretudo elas – teriam uma sensibilidade particular?

Se essa hipótese tiver alguma validade, a anorexia nervosa será de fato uma doença do desejo e da rivalidade, mas não uma loucura sem objeto. Em vez de ser motivo de desespero e de desencorajamento para o corpo médico, a epidemia atual será então portadora de um sentido menos negativo do que parece para a humanidade.

introdução
a anorexia e o espírito do tempo[1]
Mark R. Anspach

Há modas até na maneira de sofrer...
André Gide

A moda está na pesagem das vítimas.
René Girard

Thin is in, stout is out.[2] Nem sempre foi o caso. Em 1911, um médico francês, Francis Heckel, descrevia em alguns de seus pacientes uma resistência a perder peso devido aos imperativos da moda. Para usar um decote impressionante, lembrava ele, toda mulher tinha o dever de engordar no alto do corpo, do pescoço aos seios, o que é impossível sem que o restante do corpo também

---

[1] O autor agradece a Françoise Domenach e a Matteo Selvini a releitura deste texto. De igual modo, agradece a Peter Thiel, Robert Hamerton-Kelly e à Fundação Imitatio pelo apoio. O autor é o único responsável pelas ideias aqui expressas.

[2] Cf. Hugh Klein e K. S. Shiffman, "Thin Is 'In' and Stout Is 'Out': What Animated Cartoons Tell Viewers about Body Weight". *Eating and Weight Disorders*, vol. 10, junho de 2005, p. 107-116. Esse estudo demonstra que, mesmo nos desenhos animados, a quantidade de personagens magros, e sobretudo de personagens femininas magras, aumenta com o tempo, dos anos 1930 aos anos 1990.

engordasse. Se, por razões de saúde, tinha de perder barriga, ela precisava aceitar perder peso também na altura do peito. Ora, tratava-se de um verdadeiro sacrifício, observava Heckel, pois isso significava renunciar àquilo que o mundo considerava bonito.[3]

Uma passagem do célebre tratado de interpretação dos sonhos publicado alguns anos antes por um psiquiatra vienense confirma que a magreza ainda não era, nessa época, o critério supremo da beleza feminina. Sigmund Freud relata as próximas palavras de uma paciente que teve o seguinte sonho sobre comida:

> Quero dar um jantar, mas só tenho de comida um pouco de salmão defumado. Gostaria de fazer compras, mas me lembro de que é tarde de domingo e de que todas as lojas estão fechadas. Quero telefonar para alguns fornecedores, mas o telefone não funciona. Tenho então de renunciar ao desejo de dar um jantar.[4]

Durante a sessão de análise, Freud descobriu que a paciente acabara de fazer uma visita a uma amiga que apreciava salmão, da qual ela estava com ciúmes porque seu marido falava muito bem dela. "Felizmente", nota

---

[3] Francis Heckel, *Les Grandes et Petites Obésités*. Paris, Masson, 1911. Citado por Hilde Bruch, *Eating Disorders. Obesity, Anorexia Nervosa, and the Person Within*. Londres, Routledge & Kegan Paul, 1974, p. 18-19.
[4] Sigmund Freud, *L'Interprétation des Rêves* [1900]. Trad. I. Meyerson. Paris, PUF, ed. rev., 1967, p. 133. Agradecemos ao doutor Henri Grivois por ter-nos assinalado o interesse que essa passagem adquire no contexto de uma discussão sobre a anorexia.

Freud, "a amiga é delgada, magra, e seu marido gosta das formas cheias". A paciente não teria muito, pois, por que se preocupar se a amiga magra não tivesse evocado seu desejo de engordar ao lhe perguntar: "Quando vão convidar-nos de novo? Sempre se come tão bem em sua casa!". E Freud explicou à paciente o sentido de seu sonho: "É exatamente como se a senhora lhe tivesse respondido mentalmente: 'Mas é claro! Vou convidá-la para que você coma muito, engorde e agrade ainda mais a meu marido! Adoraria dar-lhe o melhor jantar da minha vida!'".[5]

Mas Freud precisa que esse sonho comporta igualmente "outra interpretação, mais delicada". A paciente anseia que o desejo da amiga, o de engordar, não se realize, mas em seu sonho é um de seus próprios desejos que não se realiza. Freud vê nisso um sinal de que a paciente, de algum modo, se coloca no lugar da amiga; de que, em outras palavras, "ela se *identifica* com ela".[6] Dessa forma, enquanto a primeira interpretação revela uma rivalidade entre a paciente e sua amiga, a segunda interpretação, "mais delicada", postula uma identificação entre as duas.

Uma relação de rivalidade entre duas pessoas que se identificam uma com a outra é o que René Girard chama de rivalidade *mimética*. Para Girard, não há nada de estranho em constatar uma identificação entre rivais. Pelo contrário, quanto mais uma pessoa se coloca no lugar da outra, mais ela a imita, mais ela tem oportunidade de entrar em competição com a outra, sobretudo se a

---

[5] Ibid., p. 135
[6] Ibid., p. 135-136. O grifo é de Freud.

imitação se estende ao domínio do desejo: duas pessoas que têm o mesmo desejo – por exemplo, o de ter formas cheias a fim de agradar aos homens – correm o risco de se tornar rivais. Girard explica a anorexia como resultado extremo de uma rivalidade mimética análoga que se dá, não somente entre duas pessoas, mas no âmbito de toda a sociedade.

Assim, Girard denuncia como falsas as interpretações correntes, psicanalíticas ou outras, que situam a fonte do problema no inconsciente do indivíduo, invocando, por exemplo, "a recusa à sexualidade normal". Por que procurar tal motivação oculta atrás do desejo das anoréxicas de emagrecer, pergunta Girard, se *todos* desejamos emagrecer? Longe de estar profundamente escondida no espírito do paciente, a motivação é perfeitamente visível no espírito do tempo. Basta ligar a televisão ou folhear uma revista feminina para compreender o caráter eminentemente mimético do desejo de emagrecer. É por isso que Girard vê no aumento atual dos casos de anorexia uma confirmação espetacular da força cada vez mais irresistível que o mimetismo exerce na sociedade contemporânea.

Hoje, essa tendência levaria a paciente de Freud de formas cheias a invejar a magreza de sua amiga. Não necessariamente porque ela quisesse agradar mais aos homens – sempre há maridos que gostam de formas redondas –, mas porque ela gostaria de conformar-se melhor a um ideal cultural de beleza feminina.

Com efeito, ainda que o desejo de agradar aos homens esteja presente desde o início, as rivalidades miméticas tendem a adquirir vida própria. Quando elas se exacerbam para além de certo limite, o objetivo inicial se perde facilmente de vista. Tudo o que resta então é o desejo de superar o adversário. No caso, isso implica ser a mais magra custe o que custar. Certamente, sendo miméticos também os homens, poderiam muito bem desejar as mulheres magras não por considerá-las intrinsecamente mais atraentes, mas por elas se assemelharem mais aos modelos de mulheres desejáveis propostos pelo cinema, pela televisão, pela publicidade. Esses modelos midiáticos encarnam o padrão pelo qual as outras mulheres devem medir-se. Mas esse padrão não é estável, pois as próprias mulheres que servem de modelo estão em concorrência entre si. Para Girard, o motor do movimento reside na dinâmica mesma da rivalidade. Como as atrizes e manequins procuram superar-se umas às outras, ficam cada vez mais magras, e, por isso, as jovens comuns se sentem cada vez mais gordas. Em 1995, no momento em que Girard apresentava num colóquio nos Estados Unidos o texto aqui traduzido, um terço das estudantes de liceu americanas se achava acima do peso; hoje, *90% delas* assim se imaginam.[7]

As rivalidades miméticas caracterizam-se por uma tendência à escalada. Essa tendência é visível nas palavras que Freud atribui à sua paciente para exprimir sua recusa à ideia de convidar para jantar a amiga que quer engordar: *Eu preferiria nunca mais dar um jantar na vida!* As jovens anoréxicas praticam a escalada com vontade de não engordar elas mesmas. É como se dissessem:

---

[7] Holly Brubach, "Starved to Perfection". *New York Times*, 15 de abril de 2007.

Eu preferiria nunca mais ir a um jantar na vida! Em uma obra clássica, publicada pela primeira vez em 1963, Mara Selvini Palazzoli observa: "Todas as pacientes têm em comum não comer voluntariamente com os outros. Elas têm horror à mesa familiar: preferem comer sozinhas, em pé, na cozinha ou no quarto, sem arrumar a mesa, de forma aleatória e provisória".[8] Como assinala Girard, tal atitude faz parte doravante do espírito do tempo. O que distingue as verdadeiras anoréxicas é o fato de comerem tão pouco, que se tornam perigosamente emaciadas pretendendo não ter fome.

An-orexia significa falta de apetite,[9] e Girard sublinha com justeza o caráter enganoso da palavra. Como o notam os autores da monografia *Anorexia Nervosa*:

> O apetite pode estar ausente, mas também pode estar presente, aumentado ou pervertido. Certas pacientes têm uma autêntica anorexia, e certamente não têm nenhum desejo de alimento. Outras cobiçam o alimento, mas se recusam a comê-lo. Outras ainda comem, e depois vomitam; em outros casos, ocultam o alimento e livram-se dele às furtadelas, para não suscitar desconfianças ou

---

[8] Mara Selvini Palazzoli, *L'Anoressia Mentale. Dalla Terapia Individuale alla Terapia Familiare.* Nova edição. Milão, Raffaello Cortina, 2006, p. 23.
[9] O termo é empregado para designar a entidade clínica moderna em 1873 por Lasègue, que evoca uma "anorexia histérica", seguido de perto por Gull que, depois de inicialmente ter falado de uma "apepsia histérica", introduz a expressão *anorexia nervosa*, usada ainda hoje nos países ingleses. Em 1883, Huchard propõe a expressão "anorexia mental", que se imporá na França e Itália.

a desaprovação dos próximos ou do médico. (...) Mas, em todos os casos, e conquanto as razões e os estratagemas possam variar, o resultado final é: redução da ingestão de calorias, perda de peso e semi-inanição.[10]

Selvini Palazzoli acentua a perda de peso, sugerindo que a essência da patologia é mais bem delimitada pelo termo alemão *Pubertätsmagersucht*: "busca pubescente da magreza". Ou, como ela a chama, *mania* de magreza.[11] Esse ponto de vista é compartilhado por outros grandes especialistas, como Hilde Bruch, que definiu a anorexia como a "busca implacável da magreza", ou G. F. M. Russell, que vê nela um "medo mórbido de ser gorda".[12]

As pacientes afirmam que sempre foram "excessivamente gordas" antes de começar o regime. Mais frequentemente, não é que fossem realmente obesas, mas antes que suportavam mal o fato de se tornarem mais espessas ou roliças na adolescência. Bruch relata um caso típico que remonta à época em que a anorexia se impôs pela primeira vez como doença reconhecida pela medicina moderna. Em 1868, uma jovem de 15 anos, descrita como pequena, mas de formas bonitas, "dirige um olhar invejoso para as amigas esbeltas e se queixa de sua 'gordura exagerada'". Um ano depois, tendo seu peso aumentado de maneira embaraçosa, ela começa um regime e transforma-se

---

[10] E. L. Bliss e C. H. Branch, *Anorexia Nervosa*. Nova York, Hoeber, 1960. Citado por Selvini Palazzoli, op. cit., p. 27.
[11] Selvini Palazzoli, op. cit., p. 25.
[12] Ver Bruch, op. cit., p. 223-24, o qual, por sua vez, cita Russell.

completamente, tornando-se frágil e pálida, com o rosto enrugado, após somente oito meses.[13]

Falando de seus próprios pacientes, Bruch observa que nada parece distinguir sua decisão inicial de fazer regime da decisão análoga tomada por "inúmeros adolescentes que controlam seu peso em nossa sociedade, tão preocupada com a magreza". Como sublinha Girard, a mania de magreza faz parte do espírito do tempo. A diferença entre estas jovens e as outras não se manifesta senão pelo que se segue, quando um "regime explicitamente empreendido com o propósito de se tornarem mais atraentes e mais respeitadas não produz uma melhora nas relações com os outros à medida que seu peso diminui, mas as leva a se retirar ainda mais da sociedade, resultando amiúde num isolamento extremo".[14] Poder-se-ia dizer, para traduzir essa observação em termos girardianos, que o objetivo inicial desaparece nos casos em que o desejo competitivo de ser a mais magra prevalece sobre qualquer outra coisa.

As rivalidades miméticas são, como já dissemos, uma tendência à escalada mimética, ou seja, à radicalização da própria rivalidade. Essa tendência é particularmente visível com as guerras, caracterizadas por aquilo que Girard chama, em sua releitura de Clausewitz, de "escalada para os extremos".[15] Com o fenômeno anoréxico, encontra-se uma escalada para extremos mais discreta e mais enigmática. A escalada da violência que impele os

[13] Bruch, p. 212, 258.
[14] Id., p. 255, 258.
[15] Ver René Girard. *Achever Clausewitz*. Paris, Carnets Nord, 2007. (Esse livro será publicado na Biblioteca René Girard – N. T.)

homens a se matarem num campo de batalha é mais fácil de compreender que esta escalada do emagrecimento que leva mulheres a morrer de inanição. A necessidade mais imperiosa de todas não é a de se alimentar? Pode o mimetismo dominar o mais elementar dos apetites e forçar o corpo a vazar em seu molde?

Desde a época em que Girard desenvolvia sua leitura mimética dos distúrbios alimentares, um número crescente de estudos científicos trouxe à luz o papel representado nesse domínio pela imitação de modelos mediáticos. Em uma pesquisa com jovens americanas, por exemplo, 69% das participantes disseram que as fotos de mulheres nas revistas influenciavam sua ideia de corpo perfeito, e 47% afirmaram que queriam perder peso em razão dessas fotos; a proporção total de participantes que queriam emagrecer (66%) representava mais que o dobro daquelas efetivamente acima do peso (29%).[16] Uma experiência de laboratório na Inglaterra testou diretamente a influência exercida pelas fotos de mulheres nas revistas de moda sobre as pacientes anoréxicas ou bulímicas. Após passarem apenas seis ou sete minutos olhando tais fotos, a superestimação de suas próprias dimensões corporais por parte das pacientes aumentou 25%.[17]

Quanto às imagens televisionadas, seu efeito poderoso pôde ser verificado de maneira dramática numa região

---

[16] A. E. Field et al., "Exposure to the Mass Media and Weight Concerns Among Girls". *Pediatrics*, vol. 103, n. 3, março de 1999.
[17] Kate Hamilton e Glen Waller, "Media Influences on Body Size Estimation in Anorexia and Bulimia. An Experimental Study". *British Journal of Psychiatry*, 162, 1993, p. 839.

das Ilhas Fiji, onde a televisão não existia antes de 1995. No passado, era raro encontrar nativos que fizessem regime, pois a cultura fijiana tradicional valoriza um apetite grande e um corpo robusto. Ora, somente três anos após a chegada da telinha, 74% das estudantes de liceu interrogadas diziam sentir-se "muito gordas" ao menos numa parte do tempo, e 69% já tinham tentado um regime para perder peso. Mas o mais espantoso é que 11% delas tinham recorrido ao vômito autoinfligido (em lugar de 0% em 1995). No decorrer das entrevistas, as jovens confirmaram que as personagens vistas na televisão se tinham tornado modelos para elas. Uma jovem expressou o desejo de se tornar "mais alta e mais magra" para ser como Cindy Crawford, enquanto outra falou de suas amigas que queriam parecer-se com as ricas alunas californianas da série *Beverly Hills 90210*. Outra disse ainda: "Gosto de imitar [as estrelas da série australiana *Shortland Street*] – seu modo de vida, o tipo de alimento que elas comem (...)".[18] Esta jovem fijiana é tão diferente da paciente anoréxica descrita por Bruch, que "observava mulheres esbeltas ou rapazes altos (...) e imitava o que eles comiam"?[19]

Certas anoréxicas levam a identificação com as outras ainda mais longe. Bruch relata o caso extremo de uma paciente de dezoito anos que chegava a satisfazer seu próprio apetite observando seus convidados, como se ela se pusesse diretamente no lugar deles. Essa paciente

---

[18] A. R. Becker et al., "Eating Behaviours and Attitudes Following Prolonged Exposure to Television among Ethnic Fidjian Adolescent Girls". *British Journal of Psychiatry*, 180, 2002, p. 509-511, 513.
[19] Bruch, op. cit., p. 93.

"assumia a identidade de quem quer que estivesse perto dela e, vendo os outros comer, os deixava 'comer por ela' de algum modo, sentindo-se 'satisfeita' depois, e isso sem ter comido absolutamente nada". Após um período de jejum, a mesma jovem explica: "Eu mantenho meu espírito eternamente preocupado com minha silhueta, esperando sempre que ela se torne mais fina. Se eu tenho de comer... isso exige de mim muita força de vontade para decidir o quê, quanto e por quê. Cada dia eu me levanto numa prisão, alegrando-me com o fato de estar encerrada".[20]

É difícil não pensar aqui na narrativa de Kafka citada por Girard, "Um Artista da Fome", cujo protagonista, tendo sido incapaz de encontrar um alimento que lhe agradasse, optou por se exibir como campeão de jejum vivendo literalmente encerrado numa jaula sem comida. Para garantir ao público que ele não trapaceia comendo às escondidas, guardas o vigiam a noite toda, e "o momento em que ele ficava mais feliz era aquele em que, de manhã, vinham servir-lhes a suas expensas um lauto desjejum".[21] Como se, justamente, eles comessem por ele.

Os pacientes de Mara Selvini Palazzoli exprimem amiúde seu grande interesse pelo alimento mediante o "*hobby* de cozinhar 'para os outros', mesmo durante a doença, pratos e sobremesas muito elaborados".[22] Pode-se pensar que essa aparente solicitude esconde um pensamento menos confessável. No jogo de "quem perde peso ganha", aquele

---

[20] Ibid.
[21] Franz Kafka, *Un Artiste de la Faim, à la Colonie Pénitentiaire et Autres Récits*. Trad. Cl. David. Paris, Gallimard, 1990, p. 190. (Col. "Folio")
[22] Selvini Palazzoli, op. cit., p. 26.

que aceita ganhar peso será o perdedor. Fazendo os outros comer, a anoréxica garante uma vantagem suplementar na corrida da magreza. Tudo se passa como se ela dissesse: *De minha parte, eu quereria nunca mais ir a um jantar na vida... mas vou convidar você para que coma bastante e engorde!* Como no ritual do *potlatch* referido por Girard no texto publicado neste livro, o não consumo ostentatório é acompanhado do impulso de fazer os outros consumir.

A pessoa que não come enquanto os outros o fazem arroga-se a cobiçada posição de vítima. A competição para ser vítima pode levar a resultados trágicos. Na conclusão do relato de Kafka, o campeão de jejum morre de inanição. Mas a preocupação moderna das vítimas, que torna impossível o sacrifício ritualizado dos bodes expiatórios, confere tanto prestígio ao estatuto vitimário, que se torna ele mesmo objeto de rivalidade. As violências que não encontram saída ritual canalizam-se doravante nesta *concorrência de vítimas* de que todo mundo fala. Assiste-se a uma verdadeira escalada sacrificial na competição para se mostrar mais vítima que os outros. A "moda está na pesagem das vítimas", observa Girard.[23] No caso da anorexia, é preciso tomar essa fórmula metafórica ao pé da letra. A vítima que pesa menos, pesa mais; ela ganha o troféu.

Como a mania da magreza, a escalada vitimária faz parte do espírito do tempo. Essa constatação pode ajudar-nos a compreender o crescimento atual da anorexia, mas não

---

[23] René Girard, *Je Vois Satan Tomber Comme l'Éclair*. Paris, Grasset, 1999, p. 256.

explica por que a forma grave da patologia atinge certas jovens em particular. Todas as moças estão expostas ao espírito do tempo, mas apenas uma pequena minoria delas fica doente. Por que algumas se envolvem mais que as outras no perigoso jogo de "quem perde ganha"? Em seu texto neste livro e na entrevista que se segue a ele, René Girard minimiza a importância do quadro familiar, insistindo antes na do contexto social. Se esse enfoque é mais que legítimo, o terapeuta deveria então ocupar-se dos pacientes individuais e de suas famílias. Não se poderia, pois, eludir a questão de saber se há algo de particular que caracterize essas famílias.

Mara Selvini Palazzoli dá a essa questão uma resposta surpreendente. Nas famílias que tratou, ela viu repetir-se de um caso a outro a mesma forma distintiva de interação entre o pai e a mãe, a saber, uma *rivalidade por ocupar o papel de vítima*. Cada parceiro representa o mártir, tentando culpar o outro. Cada um se apresenta como aquele que se sacrifica generosamente pelo bem da família. Se essa autorrepresentação é posta em questão por alguém, as mães tentam culpar o outro abertamente, enquanto os pais "se fecham num silêncio aflito, acusam todo mundo da injustiça e da incompreensão de que eles se sentem vítimas". Tal interação produz uma escalada num jogo no qual justamente é preciso perder para ganhar:

> Dois cônjuges moralistas que se sentem vítimas de uma relação compulsiva não podem senão entrar em competição pelo troféu mais cobiçado do ponto de vista moralista: qual dos dois que é mais

> vítima. A posição recíproca na relação é pois de tipo simétrico, mas de uma simetria muito particular: a posição *up* na relação será ocupada por aquele que se sentir mais sacrificado, em homenagem ao dever, à conduta irrepreensível, à estabilidade da instituição familiar. Decidimos, por conseguinte, definir esse tipo de simetria como caracterizada por uma escalada sacrificial.[24]

Esse jogo paradoxal coloca a paciente numa posição desconfortável diante dos pais. Na verdade, cada um dos dois quer ganhar a simpatia da filha, mas, se ela mesma se aproxima demasiadamente de um ou de outro, vê-se imediatamente repelida, pois o fato mesmo de ganhar sua simpatia minará o estatuto de vítima a que os pais estão vinculados.[25]

Selvini Palazzoli sugere que, num sistema familiar em que toda tentativa de comunicação corre o risco de ser rejeitada, a recusa do alimento poderia constituir por sua vez uma resposta adaptada.[26] De nossa parte, gostaríamos de chamar a atenção antes para a correspondência notável que há entre sua descrição do quadro familiar das anoréxicas e o que Girard faz do contexto social. Essa correspondência nos permite relacionar melhor os dois planos da análise.

---

[24] Selvini Palazzoli, op. cit., p. 220.
[25] Ibid., p. 221.
[26] Ibid., p. 222.

Uma moça educada num ambiente familiar caracterizado por uma concorrência sacrificial tem mais possibilidades de se lançar perdidamente à competição sacrificial no plano social que leva as mulheres a não se alimentar convenientemente. Felizmente, as vítimas que perdem a vida para ganhar essa competição ainda são raras. Mas o caráter excepcional de sua sorte não deveria impedir-nos de ver seu enraizamento em algo que elas compartilham com outras mulheres de seu tempo. É imitando o mesmo modelo cultural imitado pelas outras mulheres, é imitando todas as que o imitam e levando essa imitação até o limite, que elas vêm a se sacrificar no altar da magreza. É identificando-se com as outras, que elas morrem.

Pode-se aplicar a essas vítimas o que Freud, no texto citado, diz a respeito do tipo de identificação que observou em ação entre sua paciente e a amiga: "É graças a (esta identificação) que os doentes podem exprimir por suas manifestações mórbidas os estados interiores de um grande número de pessoas e não somente os seus, (é graças a esta identificação que) eles podem sofrer de algum modo por uma multidão de pessoas (...)".[27] Assim se passaria de uma rivalidade mimética ao suplício de uma vítima que sofre em lugar da multidão. Se a mania de magreza está no espírito de tempo, o mecanismo que ela desencadeia não seria tão velho quanto o mundo?

---

[27] Freud, op. cit., p. 136. Trata-se mais particularmente aqui do que Freud chama de "identificação histérica", que não seria "simples imitação, mas *apropriação* (de um sintoma) por causa de uma etiologia idêntica" (p. 137). A histeria era de algum modo a patologia feminina em voga naquela época. Lembremos que Lasègue e Gull haviam descrito a anorexia como uma doença histérica.

distúrbios alimentares e desejo mimético

René Girard[1]

Os distúrbios alimentares entre as jovens estão tomando proporções epidêmicas. O mais comum desses distúrbios é a *bulimia nervosa*, caracterizada por um consumo exagerado de alimento seguido de uma "purgação", provocada às vezes pelo uso de laxantes ou de diuréticos, e mais frequentemente por vômitos autoinduzidos. Alguns pesquisadores afirmam até que, nos *campi* americanos, o fenômeno atinge ao menos um terço das estudantes. (Uma vez que nove doentes em dez são mulheres, utilizarei pronomes femininos aqui, mas alguns estudantes de Stanford me dizem que a epidemia começa a grassar também entre os rapazes.)

Tem-se o hábito de apresentar G. F. M. Russell, o primeiro a trazer à luz os aspectos específicos da bulimia moderna, como o descobridor de uma nova doença. O título de seu artigo publicado em 1979 na *Psychological Medicine* contradiz a ideia: "*Bulimia Nervosa*: Inquietante Variante

---

[1] Palestra realizada no encontro do Colloquium on Violence and Religion, ocorrido em Chicago, em 1995, e publicada em *Contagion*, vol. III, primavera de 1996.

da *Anorexia Nervosa*". Com efeito, todos os sintomas descritos por Russell foram citados anteriormente a respeito da anorexia (ver Bruch).

As seguradoras e os médicos só gostam de doenças bem definidas, e o mesmo se dá com a população em geral. Todos tentamos distanciar-nos de uma contaminação patológica dando-lhe um nome. Fala-se frequentemente dos distúrbios alimentares como se se tratasse de variedades novas de rubéola ou de febre tifoide.

Por que desconfiar da distinção entre duas doenças de sintomas tão radicalmente opostos como os da anorexia e os da bulimia? Porque vivemos num mundo em que comer excessivamente e não comer bastante são dois meios opostos, mas inseparáveis, de fazer face ao imperativo da magreza que domina o imaginário coletivo. A maior parte de nós oscila, durante a vida, entre formas atenuadas dessas duas patologias.

O homem da rua não tem nenhuma dificuldade para compreender uma verdade que a maioria dos especialistas prefere não olhar de frente. Os distúrbios de nossa alimentação se devem ao nosso desejo compulsivo de perder peso. A maioria dos livros sobre o assunto reconhece a existência dessa fobia universal das calorias, mas sem lhe prestar realmente atenção, como se isso não pudesse ser a causa principal de uma séria doença. Como um desejo fundamentalmente são poderia provocar um comportamento patológico e até, às vezes, levar à morte?

Dado que várias pessoas deveriam estar, sem dúvida alguma, em melhores condições de saúde se comessem menos, não é ilógico supor que, por trás da anorexia, haja alguma motivação diversa de tal desejo são, ou algum impulso sem dúvida inconsciente que gera um comportamento anormal. Designando a anorexia e a bulimia como duas patologias diferentes, os classificadores nos encorajam a desconhecer sua base comum.

A falência das teorias modernas

A busca das motivações ocultas é o alfa e o ômega da cultura moderna. Temos como princípio básico que nenhum fenômeno humano é verdadeiramente o que parece ser. Uma interpretação satisfatória deve recorrer a uma das hermenêuticas da desconfiança que se tornaram populares nos séculos XIX e XX, ou a um amálgama de várias delas: psicanálise, marxismo, feminismo, etc. Presumimos automaticamente que os fenômenos sociais têm pouco – ou nada – a ver com o que salta aos olhos, em nosso caso a *rejeição do alimento*.

Na anorexia, os psicanalistas diagnosticam comumente "a recusa a uma sexualidade normal", devida ao desejo excessivo da paciente "de agradar ao pai", etc. Essas explicações ainda são invocadas nos livros escritos nos dias de hoje, mas é uma opinião que se enfraquece. Esse gênero de coisas exala um cheiro sufocante de bolor. Mesmo nos domínios de Lacan, já não há a arrogância de antes.

Em minha vida, cedo tive oportunidade de observar que as práticas alimentares das moças nada têm a ver com o desejo de agradar ao pai. Pouco antes da Segunda Guerra

Mundial, uma bela prima minha fazia regime como uma louca, e seu pai, meu tio, lutava em vão para fazê-la comer mais. Os pais não gostam muito, em geral, de ver as filhas passar fome. E o pai em questão era, ademais, médico, numa época em que a profissão ainda não tinha compreendido a doença que ele já tentava curar.

Como era o nosso médico da família, este tio gozava de grande prestígio aos meus olhos, pelo menos até aquele dia. Eu ainda não tinha lido Freud, mas este incidente poderia perfeitamente estar na origem do ceticismo que experimentei depois com respeito à sua concepção de paternidade. Eu tinha compreendido logo que minha prima era governada por uma voz mais poderosa que a vontade de seu pai, voz que se tinha tornado, com o tempo, cada vez mais imperiosa e mais forte. Ela emana daqueles que verdadeiramente contam em nossa adolescência, ou seja, mais que nossos pais: nossos pares e contemporâneos. Os modelos individuais dos jovens reforçam a autoridade dos modelos coletivos fornecidos pelos *media*, por Hollywood, e pela televisão. A mensagem é sempre a mesma: temos de emagrecer a qualquer preço.

Os fanáticos por regimes têm *verdadeiramente* vontade de ser magros, e a maioria de nós o sabe secretamente, pois todos também queremos ser magros. Todos os nossos sistemas de explicação alambicados, fundados na sexualidade, na classe social, no poder, na tirania masculina, e *tutti quanti*, tropeçam nessa evidência ridícula, mas irrefutável. O sistema capitalista não é mais responsável por essa situação do que os pais ou o sexo masculino em geral.

O sistema capitalista é, sem dúvida, suficientemente maligno para se adaptar a esse desejo imperioso de magreza, e ele inventa todos os tipos de produtos supostamente capazes de nos ajudar em nossa luta contra as calorias, mas seu próprio instinto vai na direção contrária. Ele prefere sistematicamente o consumo à abstinência e certamente não inventou essa histeria dos "regimes".

O mérito de nossos distúrbios alimentares neste momento histórico é tornar manifesta a falência de todas as teorias que ainda dominam nossas universidades. O problema não é que tais distúrbios alimentares sejam muito complexos para nossos atuais sistemas de interpretação – o que daria água na boca dos teóricos. O problema é que eles são muito simples, muito fáceis de compreender.

A necessidade de bom-senso

Para compreender os sintomas descritos pelos especialistas, basta observar nossa própria relação com o alimento. De quando em quando, a maior parte de nós tem experiência atenuada dos diversos sintomas que caracterizam a anorexia e a bulimia. Quando as coisas vão mal, temos tendência a nos refugiar numa forma de excesso qualquer, que se transforma em quase dependência. Sendo sempre o alimento a droga menos perigosa, recorremos mais amiúde a uma forma moderada de bulimia. Quando a situação melhora, reiteramos nossas resoluções de ano-novo e fazemos um regime severo. Sentindo-nos novamente senhores de nós, experimentamos uma elevação do moral, o que não deixa de lembrar a euforia que a verdadeira anoréxica conhece.

Entre essas oscilações "normais", de um lado, e a bulimia e a anorexia, de outro, sem dúvida a distância é grande, mas o caminho é contínuo. Todos temos o mesmo objetivo, perder peso, e, para alguns de nós, esse objetivo é tão importante, que valem quaisquer meios para atingi-lo. "O que importa são os fins." O comportamento anoréxico tem sentido não no contexto de nossos valores declarados, mas no que ensinamos silenciosamente a nossas crianças quando deixamos de falar de valores.

Tanto a anoréxica quanto a bulímica se arranjam para reduzir seu consumo de calorias a um nível que atingirá ou excederá o perfil de magreza geralmente considerado como desejável em dado momento. A verdadeira anoréxica é capaz de atingir seu objetivo diretamentè, simplesmente abstendo-se de comer. A bulímica o atinge indiretamente comendo tanto quanto quiser e vomitando em seguida grande parte do alimento ingurgitado. Na corrida pela magreza absoluta, a verdadeira anoréxica é um composto de Júlio César, Alexandre Magno e Napoleão. Em alguns casos, ela consegue a façanha de literalmente se fazer morrer de fome.

Contrariamente ao que a enganosa etimologia da palavra sugere, a anoréxica tem apetite. Ela tem vontade de comer tudo o que comemos e muito mais ainda, porque tem mais fome que nós. Algumas pacientes anoréxicas temem dar a mordida fatal, que as levaria a não parar mais de comer. Em outras palavras, elas se tornariam bulímicas, e, com efeito, é isso o que acontece às vezes. Essa é a razão por que essas pessoas não se serenam jamais. Através de um esforço sobre-humano, elas triunfaram sobre seu instinto normal, e o espírito da magreza antinatural as possui tão completamente, que a noção de possessão demoníaca convém mais a seu caso que o vocabulário da psiquiatria moderna. O alimento de que antes elas tinham uma terrível vontade torna-se, aos seus olhos, verdadeiramente repugnante. Cada vez que seu médico ou um próximo bem-intencionado as pega numa armadilha para fazê-las engolir alguma coisa, elas sentem náusea. Elas sabem que, em um instante, poderiam perder tudo por que lutaram tão duramente; sua relação de amor e ódio com o alimento é compreensível. A formidável energia que elas põem em tudo o que empreendem satisfaz um duplo objetivo: impede-as de pensar no alimento e ajuda-as a perder ainda mais peso.

A anorexia fulmina as melhores e mais brilhantes de nossas jovens. A vítima típica é educada, talentosa, ambiciosa, perfeccionista. Ela é a superdotada típica e sabe que seu jogo respeita as regras sugeridas pelas vozes mais poderosas de nossa cultura, incluída a profissão médica. Pesquisadores da escola de medicina de Harvard "descobriram" que o peso anteriormente considerado ideal para as mulheres era bem mais de 25% acima do necessário e que sua diminuição daria às mulheres "muito mais chances de sobrevivência".

A anoréxica é uma cidadã demasiado fiel ao nosso mundo demente para desconfiar de que, dando ouvidos ao espírito unânime da perda de peso, ela se deixa levar para a autodestruição. Ninguém pode convencê-la de que está realmente doente. Ela vê em todos os esforços para ajudá-la conspirações invejosas dos que gostariam de reduzir a nada sua vitória tão dificilmente conquistada, sendo incapazes eles mesmos de igualá-la. Ela se orgulha de encarnar o que constitui talvez o último ideal comum a toda a nossa sociedade: a magreza.

Numerosas mulheres gostariam de ser anoréxicas, mas, felizmente, muito poucas o são. Embora, segundo as estatísticas, a verdadeira anorexia aumente tanto quanto os outros distúrbios alimentares, ela continua absolutamente rara. O sucesso é tão difícil de alcançar, que os fracassos são inumeráveis. As bulímicas quereriam ser anoréxicas, mas, desesperadas por consegui-lo, vão para o outro extremo. Elas se arranjam então para anular artificialmente os efeitos de seus repetidos fracassos. É por isso que, no caso das bulímicas que provocam o vômito, o prognóstico é melhor do que para as verdadeiras anoréxicas.

A bulímica que vomita ainda é uma espécie de ganhadora. De fato, contrariamente à verdadeira anoréxica, ela pode tornar-se tão magra quanto exige a moda, e não mais. Nos primeiros estágios da doença, quando as consequências físicas de suas práticas alimentares ainda não se manifestaram, ela pode sentir-se tão satisfeita consigo mesma quanto sua irmã anoréxica. Ela pode ter a manteiga sem as calorias da manteiga. Com o tempo, sua saúde deteriora-se e ela paga caro seus excessos, mas o que conta para ela é nunca estar acima do peso.

O exercício

Dada a extravagante relação de nossa cultura com o alimento, o que espanta é menos o aumento dos distúrbios alimentares do que o fato de tantas pessoas comerem de maneira mais ou menos normal. Contrariamente ao que dizem nossos relativistas e niilistas, a natureza humana com sua resiliência é tal, que ela consegue adaptar-se aos caprichos culturais mais estranhos.

A fim de fazer face ao imperativo da magreza sem se entregar a práticas que ameacem a saúde ou destruam o autorrespeito, muitas pessoas têm uma arma secreta, isto é, *fazem exercício*. Passam grande parte do tempo caminhando, correndo, fazendo *jogging* ou bicicleta, nadando, saltando, escalando montanhas ou praticando outras atividades terrivelmente aborrecidas e estafantes com o único propósito de eliminar calorias indesejáveis.

O aspecto irritante do exercício reside principalmente em sua justificação em termos politicamente corretos. Cantam-se louvores à vida ao ar puro, ou à comunhão com a natureza, e invoca-se Thoreau, Rousseau, a terra-mãe, a ecologia, a saúde, o desamparo das vítimas ou outros pretextos habituais, ao passo que a motivação verdadeira é tão somente o desejo de perder peso.

The Stanford Daily publicou há pouco tempo a declaração de um psiquiatra da universidade segundo a qual grande número de estudantes faz uso excessivo e compulsivo das instalações esportivas. Em um futuro próximo, suponho, atribuir-se-á oficialmente a esse médico a descoberta de uma nova síndrome, a *gymnastica nervosa* talvez, ou a "bulimia do *jogging*".

Não temos necessidade de um novo termo também para esses professores barrigudos que se arrastam até o cume das colinas de Stanford levando um fardo pesado em cada mão? Eles creem manifestamente que, quanto mais atroz for seu suplício, mais lhes será benéfico em termos de rejuvenescimento. Com o suor escorrendo pelas faces, cegando-lhes os olhos desvairados e implorantes, eles lembram as torturas mais exóticas do "Inferno" de Dante. Estando empregados, poderiam perfeitamente passar a vida no conforto e na segurança. O espetáculo que oferecem nos incita a perguntar se a descrição do inferno feita pelo poeta é verdadeiramente tão extravagante quanto pretendem nossos humanistas. Recriando eles mesmos durante suas horas de lazer, por sua própria vontade e sem constrangimento externo, os piores aspectos desse inferno, demonstram involuntariamente o realismo que eles põem imprudentemente em dúvida.

O que eu mesmo estou fazendo nessas colinas de Stanford?... É isso o que vocês querem saber? A questão não tem pertinência e não merece resposta. Eu gostaria, no entanto, de salientar que ninguém jamais me viu levar nada na mão com o único objetivo de me tornar mais pesado do que sou!

Vivemos numa época em que tanto as ações mais sãs como as mais malsãs podem ter a mesma motivação. A verdadeira razão por que muitas pessoas jovens, e especialmente mulheres jovens, se juntam hoje em dia ao número dos fumantes ou não param de fumar, apesar das recomendações dos poderes públicos, é o medo de ganhar peso, um medo que esses mesmos poderes públicos, curiosamente, se esforçam por encorajar e reforçar.

A natureza mimética dos distúrbios alimentares modernos

Qual é a causa de tudo isso? Como já observei, já não podemos acusar os nossos bodes expiatórios preferidos, aqueles de que nossos mestres pensadores dos dois últimos séculos tanto abusaram. Essas bestas de carga foram todas abatidas há muito tempo, tal como o célebre cavalo de Nietzsche em Turim. Pode-se continuar a lhe dar pontapés ainda por algumas décadas, particularmente em seminários universitários, mas, mesmo aí, esse ritual chega ao fim. Ninguém pode crer verdadeiramente que nossas famílias, o sistema de classes, o conjunto do sexo masculino, as igrejas cristãs ou até uma administração universitária repressiva possam ser responsáveis pelo que está acontecendo.

Mais cedo ou mais tarde, acabaremos por identificar o obstáculo feroz e vivedouro que as teorias modernas e pós-modernas nunca preveem, o conviva sem convite, aquele que não se espera: o rival mimético. Enquanto são respeitadas, as odiosas proibições nos dissimulam esta estátua do comendador. Elas tornam a rivalidade mimética mais difícil, ou até impossível.

O modernismo e o pós-modernismo estão desarmados diante da intensificação da rivalidade mimética que necessariamente acompanha a dissolução de todas as proibições. Como insetos que insistem em construir seus ninhos quando seus ovos já não estão neles, nossos professores modernistas e pós-modernistas continuarão a acusar até o Juízo Final tais proibições defuntas, mas seus alunos, mais dia, menos dia, acabarão por colocar esse dogma em dúvida.

Há alguns anos, uma fórmula popular do individualismo americano era: *looking out for number one*. Supostamente, devíamos preocupar-nos antes de tudo com o "número um": nós mesmos. Ora, se estávamos felizes com o que somos, não deveríamos preocupar-nos tanto, não deveríamos estar sempre "*on the look-out*", em estado de alerta. Ao olhar à nossa volta, a maior parte de nós descobre que, longe de sermos o número um, estamos perdidos na multidão. Em tudo o que importa para nós, há sempre alguém que parece ser melhor, no plano da beleza, no da inteligência, no da saúde, e – o mais espantoso hoje em dia – no da magreza. Ainda que trocássemos os desconstrucionistas pelos místicos orientais, não teríamos a paz que procuramos. Os ocidentais são sempre obrigados a agir e, quando já não imitam os heróis e os santos, são atraídos para o círculo infernal da futilidade mimética. Mesmo nesse nível, sobretudo nesse nível, o estatuto de número um não pode ser atingido senão mediante um duro trabalho para triunfar sobre a concorrência.

Aqueles que sofrem de distúrbios alimentares não são pessoas sufocadas pela religião, tradicionalistas ou fundamentalistas, mas pessoas muito "liberadas". Lembro-me de um episódio da série televisiva *Seinfeld* que captava brilhantemente a "normalidade" da *bulimia nervosa* em nosso mundo. No final de uma refeição num restaurante nova-iorquino, uma jovem mulher ia ao toalete para vomitar o grande prato de espaguete que ela acabara de comer. Ela o anuncia à sua companheira no mesmo tom indiferente que usou em outras circunstâncias para dizer: "Vou passar batom".

Essa jovem mulher moderna se comporta como aqueles romanos decadentes cujas crônicas horrorizaram minha juventude inocente, diferenciando-se deles apenas por não ter nenhuma necessidade de escravos que, fazendo-lhe cócegas na garganta, a ajudassem a vomitar. Uma mulher americana verdadeiramente independente sabe cuidar de tudo sozinha. Ela representa tão bem o papel de senhor quanto o de escravo. E o faz de forma tão eficaz e pragmática, que tudo parece perfeitamente natural e legítimo. Tendo pagado os espaguetes com seu próprio dinheiro, ela é livre para fazer com ele o que quiser. Sente-se que tudo em sua vida – de sua carreira profissional a suas histórias de amor – deve ser organizado da mesma maneira eficaz. Diante dessa cena, fiquei mais uma vez maravilhado com a superioridade da expressão dramática que pode sugerir num átimo o que volumes de "pesquisas" pomposas jamais poderiam apreender.

Ao lado dessa jovem mulher na televisão, os romanos decadentes eram voluptuosos inocentes. Eles também comiam e vomitavam sucessivamente, mas o faziam por si mesmos e não por ninguém mais. Eles realmente se preocupavam com o "número um". Certamente nossa bulímica moderna come por si mesma, mas vomita pelas outras, por todas essas mulheres que se vigiam reciprocamente a cintura. Sua liberdade radical a torna escrava da opinião das outras.

O desejo mimético visa ao emagrecimento absoluto do ser radiante que outra pessoa sempre encarna aos nossos olhos, mas que nunca chegaremos a ser verdadeiramente, ao menos aos nossos próprios olhos. Compreender o desejo é compreender que seu egocentrismo é indiscernível de seu alterocentrismo.

Os estoicos nos dizem que deveríamos refugiar-nos em nós mesmos, mas nosso eu bulímico é inabitado, o que Agostinho e Pascal descobriram há muito tempo. Enquanto não formos providos de um objetivo digno de nosso vazio, copiaremos o vazio dos outros e regeneraremos constantemente o inferno de que tentamos escapar.

Por mais puritanos e tirânicos que possam ter sido nossos ancestrais, seus princípios religiosos e éticos podiam ser negligenciados impunemente. De fato o foram, e vemos o resultado disso. Estamos realmente sozinhos. Os deuses que nós nos demos são autogerados no sentido de dependerem totalmente de nosso desejo mimético. Reinventamos assim senhores mais ferozes que o Deus do cristianismo mais jansenista. A partir do momento que violamos o imperativo da magreza, sofremos todas as torturas do inferno e nos vemos obrigados a redobrar o jejum. Nossos pecados estão inscritos em nossa carne, e devemos expiá-los até a última caloria, através de uma privação ainda mais severa do que qualquer religião jamais impôs a seus seguidores.

Mesmo antes de o imperativo da magreza aparecer em nosso mundo, Dostoiévski se deu conta de que o novo homem, liberado, produziria cruéis formas de ascetismo enraizadas no niilismo. O herói de *O Adolescente* (1875) jejua para provar a sua vontade de poder. Antes ainda, Stendhal, conquanto hostil à religião, tinha detectado a mesma tendência na cultura francesa pós-revolucionária. O herói do romance *O Vermelho e o Negro* (1830) abstém-se de comer para provar que pode ser Napoleão.

Há uma grande ironia no fato de o processo moderno de erradicação da religião produzir inumeráveis caricaturas.

Diz-se-nos amiúde que nossos problemas se devem à incapacidade de nos desvencilharmos de nossas tradições religiosas, mas isso não é verdade. Eles estão enraizados na debacle desta tradição, que é necessariamente seguida do reaparecimento, nos costumes modernos, de divindades mais antigas e ferozes nascidas do processo mimético.

Nossos distúrbios alimentares não estão em continuidade com nossa religião. Têm suas origens no neopaganismo de nosso tempo, no culto do corpo, na mística dionisíaca de Nietzsche, que, aliás, foi o primeiro de nossos grandes "fazedores de regime". Foram causados pela destruição da família e de outras barreiras contra as forças da fragmentação e da competição miméticas, desencadeadas pelo fim das proibições. Essas forças não poderiam recriar a unanimidade senão recorrendo a bodes expiatórios coletivos, o que, felizmente, não é verdadeiramente possível em nosso mundo, pois nossa noção de pessoa humana, mesmo degradada em individualismo radical, impede o restabelecimento de uma comunidade fundada na violência unânime. O que explica por que os fenômenos marginais de que falo aqui se multiplicam agora. Neles, elementos neopagãos e judeu-cristãos corrompidos se mesclam de forma tão complexa, que, para separá-los, seria necessária uma análise mais detalhada.

O processo que primeiramente negou a Deus, depois o homem e, enfim, o próprio indivíduo não destruiu o impulso competitivo, que, pelo contrário, se torna cada vez mais intenso. É esse caráter competitivo que nos carrega de fardos esmagadores e fúteis de que tentamos sem sucesso livrar-nos, sobrecarregando os velhos bodes expiatórios dos modernistas e dos pós-modernistas.

Mas eis enfim uma boa-nova. Todo o problema está prestes a ser resolvido, ao que parece, graças às tecnologias mais modernas. Investigadores acabam de desenvolver um alimento completamente milagroso que será "muito saboroso", afirmam, mas não totalmente nutritivo: será inteiramente eliminado. Por conseguinte, logo poderemos entregar-nos a uma orgia alimentar perpétua e comer 24 horas por dia sem sequer ter de vomitar! Teremos ainda de passar algum tempo no banheiro, suponho, mas não por uma razão aberrante; tudo será perfeitamente normal e legítimo. E é isso o que é reconfortante. Esta grande descoberta até poderá marcar a vitória final da ciência moderna sobre todas nossas falsas superstições metafísicas.

Um paralelo antropológico: o "potlatch"

Nossa histeria do emagrecimento é provavelmente única, sendo inseparável de nossa variante única de um "individualismo" tão radical quão radicalmente "contraprodutivo". Encontram-se, porém, alguns traços de nosso comportamento atual em outras culturas, como, por exemplo, no famoso *potlatch* do Noroeste norte-americano. O grande economista e sociólogo americano Thorstein Veblen já tinha consciência dele; em sua *Theory of the Leisure Class*, trata do *potlatch*, situando-o no contexto do que ele chama de consumo ostentatório.

A ostentação de sua riqueza sempre foi a grande preocupação do novo-rico, onde quer que fosse, e, em nossa época, nunca houve tantos novos-ricos como na América. Imigrantes ou filhos de imigrantes, eles não podiam vangloriar-se de ser oriundos de antigas e prestigiosas famílias: o dinheiro era o único instrumento de seu esnobismo.

Quando os ricos se habituam à sua riqueza, o simples consumo ostentatório perde o atrativo, e os novos-ricos se metamorfoseiam em "antigos ricos". Eles consideram essa mudança o *summum* do refinamento cultural e fazem tudo quanto podem para torná-la tão visível quanto o consumo que praticavam antes. É nesse momento que eles inventam o não consumo ostentatório, que parece, superficialmente, romper com a atitude que ele sobrepuja, mas que não é, no fundo, senão uma escalada mimética do mesmo processo.

Em nossa sociedade, o não consumo ostentatório está presente em muitos domínios: no vestuário, por exemplo. Os jeans rasgados, o blusão bem largo, a calça *baggy*, a recusa a se arrumar são formas de não consumo ostentatório. A leitura politicamente correta desse fenômeno é que os jovens ricos se sentem culpados em razão de seu poder aquisitivo superior; eles desejam, se não ser pobres, ao menos parecê-lo. Esta interpretação é demasiado realista. O verdadeiro objetivo é uma indiferença calculada com relação às roupas, uma rejeição ostentatória da ostentação. A mensagem é: "Estou acima de certo tipo de consumo. Prefiro cultivar prazeres mais esotéricos que o comum dos mortais". Abster-se voluntariamente de uma coisa, qualquer que seja, é a melhor forma de mostrar que se é superior a essa coisa e àqueles que a cobiçam.

Quanto mais ricos somos, mais os objetos que nos dignamos a disputar devem ser preciosos. As pessoas muito ricas já não se comparam entre si por meio de roupas, nem de carros, nem sequer de casas. Quanto mais ricos somos, com efeito, menos nos podemos permitir mostrarnos grosseiramente materialistas, pois entramos numa hierarquia de jogos competitivos que se tornam cada vez mais sutis à medida que progride a ascensão. Ao final, esse processo pode terminar numa rejeição total da competição, o que pode ser, conquanto não seja sempre o caso, a mais intensa das competições.

Para melhor compreender esse fenômeno, basta pensar no *potlatch*, que ilustra mais a forma invertida de consumo ostentatório que a pura. Entre os kwakiutls e outras tribos do Noroeste norte-americano, os grandes chefes provavam sua superioridade distribuindo suas posses mais caras a seus rivais, os outros grandes chefes. Cada um se esforçava por superar os outros no desprezo da riqueza. O vencedor era aquele que abandonava mais e recebia menos. Esse estranho jogo estava institucionalizado e culminava na destruição dos bens que os dois grupos, em princípio, deviam dar-se mutuamente, como faz a maior parte dos grupos humanos em todas as espécies de trocas rituais.

Riquezas imensas eram dissipadas nessa competição para exibir a maior indiferença a ela, competição em que o verdadeiro desafio era o prestígio. Assim, há rivalidades de renúncia antes que de aquisição, de privação antes que de desfrute.

Em certo momento, as autoridades canadenses proibiram o *potlatch*, o que podemos compreender perfeitamente.

Elas se deram conta de que essa busca de prestígio coletivo, ao fim e ao cabo, só beneficiava os grandes chefes, ao passo que prejudicava a imensa maioria da população. É sempre perigoso para uma comunidade preferir formas negativas de prestígio às formas positivas, que não contradizem as necessidades reais dos seres humanos.

Mesmo em nossa sociedade, a troca de presentes pode assumir um aspecto competitivo que, no *potlatch*, se encontra exacerbado em grau extremo. O objetivo normal da troca de presentes, em todas as sociedades, é impedir que as rivalidades miméticas se tornem descontroladas. O espírito de rivalidade é tão poderoso, porém, que pode transformar de dentro as instituições que existem para controlá-lo. O *potlatch* testemunha a formidável tenacidade da rivalidade mimética. Poderíamos defini-lo como um pedaço coagulado de crise mimética que se ritualiza e acaba por cumprir um papel, mas a alto custo, na regulação e na atenuação da febre competitiva.

Em qualquer sociedade, a competição pode assumir formas paradoxais porque pode contaminar as atividades que lhes são em princípio mais estranhas, em particular a troca de presentes. Tanto no *potlatch* como em nossa sociedade, a corrida ao cada vez menos pode substituir a corrida ao cada vez mais, e significar definitivamente a mesma coisa.

A magreza antinatural provavelmente representa em nossa sociedade o que representava para os índios do Noroeste a destruição de cobertores e peles, com a diferença de que no *potlatch* tudo é sacrificado para a glória do grupo, representado pelo grande chefe, ao passo que no mundo moderno nós nos medimos enquanto indivíduos com todos os outros indivíduos. A comunidade não é nada, e o indivíduo é tudo. Localizamos o inimigo, e somos nós.[2] Cada indivíduo acaba por encontrar seu equivalente personalizado da loucura do *potlatch*.

Breve história do regime competitivo

A chave antropológica abre a antecâmara do regime competitivo, mas o santuário interior permanece fechado. Dado que os fenômenos miméticos se caracterizam por uma tendência à escalada, deve ter um início, uma fase ascendente... e também um fim, que ainda não é visível no caso dos distúrbios alimentares. Os fenômenos miméticos têm sua própria temporalidade ou historicidade e devem ser decifrados com uma chave tanto histórica quanto antropológica.

A história da paixão da magreza pode ser reconstituída, ao menos em parte. Tudo começa como num conto de fadas, com mulheres belas e prestigiosas vivendo em palácios. O mais significativo desses modelos miméticos é a mulher do imperador Francisco José I, Isabel da Áustria, dita Sissi. Infeliz em seu papel de esposa e de mãe, ela se queria uma "nova mulher" e foi em busca de uma *identidade* própria, distante das obrigações cerimoniais. Tentou

---

[2] Alusão a uma famosa fórmula de Walt Kelly, criador da história em quadrinhos americana "Pogo": *We have met the enemy and he is us*. [N. E. francês]

encontrá-la numa cultura particular do corpo que faria dela o protótipo da mulher moderna e "avançada" (ver Vandereycken e van Deth).

Ao mesmo tempo que outra beleza célebre, a imperatriz Eugênia, esposa de Napoleão III, Sissi põe fim à crinolina que aprisionava a parte de baixo do corpo das mulheres. Conta-se que, após um encontro entre seus respectivos maridos imperiais, essas grandes damas decidiram ter um encontro sozinhas num local isolado para comparar suas respectivas cinturas. Esse episódio sugere o início de uma espécie de competição entre elas, exatamente o que era preciso para dar o pontapé inicial a uma rivalidade mimética entre várias damas aristocráticas que não tinham nada melhor para fazer que observar Sissi e Eugênia e copiar seus comportamentos nos menores detalhes. As duas imperatrizes certamente desempenharam um papel no desencadeamento da rivalidade mimética que não parou de se expandir e de se intensificar desde então. Após a Primeira Guerra Mundial, a escalada atingiu a classe média e, após a Segunda Guerra Mundial, ao menos no Ocidente opulento, propagou-se a todas as classes sociais.

O modo de vida de Sissi era típico da anorexia. Ela fazia um estrito regime hipocalórico e dedicava-se à ginástica e ao esporte de um modo que prefigura as maneiras de fazê-lo de nossa época. Ainda temos princesas, é claro, mas, como o restante de nossa civilização, elas baixaram um furo ou dois. A bulimia lhes é mais característica que a anorexia heroica de uma Sissi "autenticamente" quixotesca.

É interessante constatar que as primeiras descrições clínicas da anorexia datam do momento mesmo em que

Sissi e Eugênia exerciam grande influência (Louis-Victor Marcé em 1860, Lasègue e Gull em 1873). Essa primeira anorexia médica parece ter sido, sobretudo, uma doença da classe superior.

Os especialistas reconhecem facilmente a dimensão mimética dos distúrbios alimentares, mas sua compreensão permanece superficial. Eles sabem que, quando é declarado num *campus* um caso de bulimia, poderá haver nele centenas de casos nos dias seguintes. Mas eles sempre concebem a imitação nos termos do século XIX, como esse contágio social puramente passivo descrito por Gabriel Tarde, Baldwin, Le Bon e outros. Eles não veem a dimensão competitiva, a tendência a uma escalada mimética. Não veem que estão lidando com um fenômeno histórico.

A rivalidade intensifica-se à medida que aumenta o número de imitadores. A razão de nossa resistência a perceber a escalada é que detestamos reconhecer nossas próprias loucuras miméticas, ao passo que adoramos denunciar as dos outros. Toda cultura tende a ser cômica aos olhos das outras culturas, mas nunca o é aos nossos próprios olhos. A mesma coisa vale para o passado com relação ao presente.

O espírito de rivalidade pode triunfar mesmo na ausência de um rival bem determinado. Todo esse processo é uma versão atenuada da "guerra de todos contra todos" de Hobbes. Poderíamos também compará-lo a uma série de recordes atléticos que são batidos cada vez mais rapidamente à medida que mais pessoas se esforçam por batê-los.

O exagero contínuo da síndrome coletiva é inseparável de sua difusão a multidões cada vez mais vastas. Uma vez definido o ideal mimético, cada um tenta superar todos os outros no objetivo por atingir, aqui, a esbelteza. Por conseguinte, o peso considerado como o mais desejável para uma jovem mulher é destinado a diminuir sem parar. Todos os caprichos e as modas seguem um movimento dinâmico porque seu princípio é mimético. Os historiadores se concentram exclusivamente na última fase, o paroxismo que precede ao desabamento. Eles querem divertir-nos contando as bobagens do passado e dando a entender que nossa racionalidade superior nos protege de semelhantes excessos.

As estrelas hollywoodianas dos anos 1930 nos parecem um tanto rechonchudas, mas, em sua época, elas pareciam de uma magreza elegante, e, julgadas segundo os cânones de beleza de antes da Primeira Guerra Mundial, eram decididamente magras. Em 1940, a tendência era tão poderosa, que nem sequer as penúrias alimentares da Segunda Guerra Mundial a frearam. Desde então, ela se tornou mais extrema a cada década. O estado crítico é atingido quando a competição se nutre exclusivamente de si mesma, esquecendo os objetivos do início. As mulheres anoréxicas absolutamente não se importam com os homens; como eles, elas rivalizam com suas semelhantes – a única coisa que importa é a própria competição.

O ideal anoréxico da emaciação radical afeta domínios cada vez mais extensos da atividade humana. Esse ideal deforma amiúde nossos julgamentos profissionais. As pessoas acima do peso se queixam, sem dúvida com razão, de ser objeto de discriminação econômica e social.

O Júlio César de Shakespeare desconfia da magreza de Cássio. Revela então o desejo e o ressentimento que caracterizam efetivamente esse personagem. Hoje em dia, desconfiamos mais da corpulência, mas essa inversão pode ser menos significativa do que parece. A cultura em que vivemos mudou mais que nossos sentimentos profundos. Ela se tornou uma cultura da desconfiança. Talvez não sem razão, consideramos os magros mais bem adaptados para enfrentá-la que os corpulentos.

Nossa distorção anoréxica do passado

Para não vermos o que se passa, criamos ilusões quanto ao passado, esposando meias-verdades ou mentiras puras e simples que, como todos os propagandistas, repetimos *ad nauseam*. Uma delas consiste em atribuir ao passado europeu em seu conjunto uma predileção extravagante pelas mulheres corpulentas, enraizada numa obsessão pelo alimento resultante do estado de semifome que era a norma naqueles tempos.

Tanto no plano histórico quanto no estético, essa teoria trai uma profunda ignorância da realidade. Na Europa pré-industrial, mais de 80% das pessoas viviam em pequenas unidades autônomas de produção de alimentos: as fazendas. Ainda que o tivessem desejado, até os mais tirânicos dos soberanos e os mais injustos proprietários teriam achado extremamente perigoso esfaimar seus próprios camponeses. Eles não eram estúpidos a ponto de esquecer que dependiam deles para a produção de seus próprios alimentos.

Por ocasião da ocupação da Europa ocidental, os nazistas esfaimaram os cidadãos muito eficazmente, mas os agricultores e todos os que faziam parte de seu círculo jamais morriam de fome. Os únicos dirigentes que conseguiram provocar enormes fomes foram Stalin e Mao, que, em obediência a seus dogmas comunistas, destruíram a fazenda independente e mataram mais pessoas que todas as fomes medievais juntas.

A ideia segundo a qual a semifome era uma característica mais ou menos permanente da vida na Europa pré-industrial repousa numa deturpação grosseira dos fatos e, ainda que as penúrias de alimento tivessem sido tão frequentes quanto se pretende agora, é pouco provável que tivessem influenciado a concepção de beleza feminina das pinturas e das esculturas. Naquela época, as modas estéticas não tinham origem nas classes mais baixas, mas em pessoas ligadas bastante estreitamente aos círculos dirigentes para compartilhar seus privilégios, ao menos no que se refere aos alimentos. Mesmo em tempo de fome, os artistas eram certamente, entre todos, os últimos a padecer a fome. Nada sugere que tenham sonhado com alimento nem metade do que sonhamos.

O imperativo da corpulência que transplantamos no passado é uma projeção transparente de nossa própria obsessão com alimentação, um estratagema evidente para negar nossa própria singularidade. Nossos inumeráveis livros de culinária, revistas para *gourmets* e programas gastronômicos de televisão, nossa falsa alegria em matéria alimentar e nossa perpétua celebração do bem comer, tudo isso demonstra que a cultura mais obcecada pelo alimento na história ocidental é a nossa. Essa obsessão é um sintoma bem conhecido de anorexia.

A julgar pela história da pintura, nada no passado se parece nem de longe com nossa preocupação com o peso que uma mulher deve ter, sem falar nos possíveis depósitos de celulite nas coxas de mulheres pintadas por artistas como Rembrandt e Rubens!

Antes de nosso século, houve sem dúvida variações de gosto entre escolas de pintura e entre pintores individuais, mas elas não podem ser reduzidas a um único fator. Na pintura flamenga, as mulheres aparecem mais corpulentas, em geral, que nas pinturas italianas, mas abundam as exceções. Vermeer pinta figuras femininas mais gráceis que Ticiano ou *Tintoretto*. É preciso supor que fosse o mais bem alimentado dos três?

À exceção, talvez, dos enormes seios, ventres e nádegas das Vênus pré-históricas, o imperativo da corpulência na história da arte não parece ser senão mais uma lenda na vasta constelação dos mitos engendrados por nossa paixão pela magreza antinatural. Para não vermos a que ponto somos excepcionais, tratamos a exceção – nós mesmos – como se fosse a regra, e a regra – todos os outros – como se fosse a exceção. Deploramos piedosamente as "ilusões etnocêntricas" que se dissolveram desde há muito tempo na uniformidade maciça de nossa época, mas nunca reparamos na única ilusão evidente que nos aflige a todos, a ilusão "modernocêntrica".

A tendência a nos considerarmos o centro do universo e a julgar cada coisa do nosso próprio ponto de vida deformado é visível em todos os domínios de nossa cultura. Um das falsidades mais cômicas é a interpretação atual do ascetismo religioso como "uma forma antiga de anorexia". Isso vai de par com a reveladora justificativa que alguns antropólogos dão para o infanticídio na cultura arcaica: "um meio primitivo de controle da população".

Há, sim, um autêntico ascetismo religioso, e obras importantes testemunham sua presença em todos os períodos de nossa história. No entanto, quando a santidade é oficialmente valorizada, o desejo não de ser santo, mas de ser *percebido* como tal, tornar-se-á inevitavelmente um objetivo da rivalidade mimética. Como outros comportamentos humanos, o ascetismo religioso pode ser contaminado pelo espírito competitivo. Mas as igrejas estavam prevenidas contra tais distorções, que, quando muito, envolviam algumas centenas de pessoas e não milhões como os distúrbios alimentares atuais. Detestamos tanto nosso passado cristão, que o acusamos, ao mesmo tempo, de encorajar a anorexia e de "desencorajar os grandes místicos". Nunca lhe damos o benefício da dúvida. Não é possível que ele tenha encorajado o misticismo e desencorajado a anorexia?

Hoje, aqueles que desprezam o passado parecem nunca desconfiar que excessos piores se produzem bem debaixo de seu nariz, e isso numa escala sem dúvida sem precedente na história humana. Na Idade Média, inteligentes observadores sempre reconheceram a possibilidade de um falso ascetismo, ao passo que nossos distúrbios alimentares são considerados unicamente de um ponto de vista médico, como se não tivessem nada a ver com o contexto cultural e sua recente evolução.

O problema de nossos observadores "científicos" é que eles adoram os mesmos ídolos que seus pacientes. É possível que eles mesmos façam um regime rígido, ou que tenham vontade de fazê-lo. Poucas pessoas querem ser santos de nossos dias, mas todo mundo se esforça por perder peso.

Com o fim das últimas proibições religiosas, perdemos um maravilhoso ritual salutar, a refeição familiar, a barreira mais eficaz, sem dúvida, contra a bulimia vomitiva. O alimento industrial é indubitavelmente mais fácil de vomitar que a boa comida da mamãe. As consequências da desregulação das refeições são análogas às da desregulação das viagens de avião. Se doravante o processo custa menos caro, torna-se também irregular, caótico, pouco confiável, e de um desconforto extremo. As pessoas comem sozinhas cada vez mais, sem horário regular, engolindo amplas quantidades de porcarias. É interessante observar que, em suas fases de consumo compulsivo, as pacientes bulímicas adotam esses traços típicos de maneira caricatural. Elas mostram acentuada preferência por doces e salgados baratos e outros horrores pastosos e cheios de gordura, elaborados por nossa indústria alimentar, que comem a toda a pressa. Essa pressa é o único ponto de semelhança com a refeição da Páscoa judaica.

No mundo "desenvolvido", as forças que nos levam a consumir são tão poderosas quanto as que nos levam a jejuar. O consumo excessivo é favorecido pela enorme pressão publicitária e pela abundância do alimento de baixo preço, bem como pela derrubada de todos os freios religiosos e éticos.

Nossa cultura inteira se assemelha cada vez mais a uma conspiração permanente para nos impedir de atingir os objetivos mesmos que com perversidade ela nos incita a perseguir. Não é surpreendente que tantas pessoas queiram pôr-se à margem de nossa cultura, simplesmente por estarem esgotadas, mas também, talvez, por serem presas de um tipo especial de tédio. Nos Estados Unidos, a obesidade aumenta ainda mais que a magreza extrema, sobretudo nas zonas geográficas e nas classes sociais que estão menos a par das modernidades que nós. Não se pode deixar de sentir simpatia por todos esses marginalizados. Em todos os aspectos da vida, a oscilação tudo ou nada, fruto de uma competição histérica, torna-se cada vez mais visível. Mesmo na Europa, onde há muito tempo havia uma mistura de classes sociais em cada bairro, as cidades dividem-se agora em zonas deterioradas e em protegidos bairros de casas enormes e gramados imaculados.

A cultura da anorexia

Podem-se identificar em todos os domínios de nossa cultura essas escaladas miméticas que desembocam na anorexia/bulimia. Os exemplos mais reveladores se encontram sem dúvida na "alta cultura", que se deixou contaminar pelas tendências "anoréxicas" muito antes de a perda de peso ter-se tornado uma obsessão universal.

Em todas as artes, a começar pela pintura, e passando pela música, pela arquitetura, pela literatura, e pela filosofia, os ideais de radicalismo e de revolução dominaram por muito tempo. Essas etiquetas dissimulam a escalada de um jogo competitivo que consiste em abandonar, um por um, todos os princípios e todas as práticas tradicionais de cada arte. Sendo os últimos a surgir ainda fiéis aos mesmos princípios antimiméticos de seus predecessores, tinham de imitá-los de maneira paradoxal, desfazendo-se de tudo o que já não fora exigido pelas precedentes ondas de radicalismo. Cada geração tem sua nova fornada de iconoclastas que se vangloriam de ser os únicos revolucionários autênticos, mas todos se imitam uns aos outros: quanto mais querem escapar da imitação, menos conseguem fazê-lo. A história do modernismo viu sem dúvida interrupções momentâneas dessa dinâmica, até retornos passageiros, mas a tendência global é incontestável. Ela se tornou efetivamente tão flagrante, que a mecânica das revoluções entra agora em pane.

Na pintura, a representação realista da luz e da sombra é que foi primeiramente abandonada, seguida de elementos cada vez mais essenciais, a perspectiva tradicional, as formas reconhecíveis, e até as cores. A arquitetura e o mobiliário sofreram uma evolução análoga. A poesia renunciou antes de tudo à rima, e depois a todos os aspectos métricos. A palavra "minimalismo" não designa senão determinada escola, mas resume toda a dinâmica do modernismo. Na poesia, no romance, no teatro, e em todos os outros gêneros literários, esse processo não cessa de se repetir. Começa-se por eliminar todo e qualquer contexto realista, e depois a intriga, depois os personagens; por fim, tanto as frases como as palavras, que podem ser substituídas por uma mixórdia cada vez menos significativa – ou desprovida de sentido – de letras, perdendo toda a coerência.

Naturalmente, as escolas não eliminam todas as mesmas coisas ao mesmo tempo, e as diferenças locais frequentemente produziram explosões efêmeras de criatividade. Ao fim e ao cabo, porém, todo mundo e todas as coisas tendem para o mesmo nada absoluto que prevalece doravante em cada domínio estético. Cada vez mais críticos começam a reconhecer o esgotamento das fontes vivas de novidade. A arte moderna teve seu tempo, e seu fim foi certamente apressado, ou até inteiramente causado, pelo temperamento cada vez mais anoréxico de nosso tempo.

Não somente nossa literatura é penetrada do espírito da anorexia e da bulimia, mas essas condições são agora tema de obras literárias como *La Peau à l'Envers, le Roman d'une Boulimique*, de Valérie Rodrigue, ou *The Passion of Alice*, de Stephanie Grant. Um dia, sem dúvida, haverá uma sessão da MLA[3] consagrada a esse novo campo apetecível. Mas é pouco provável que um de nossos contemporâneos consiga igualar o "Um Artista da Fome", de Franz Kafka. Para compreender essa novela, é preciso saber que, no século XIX e no início do século XX, eram exibidos nas feiras e nos circos os que eram chamados de "esqueletos vivos" ou "artistas do jejum". Espécies de híbridos de monstros e campeões esportivos, que se gabavam de ter batido os recordes anteriores de emaciação.

A narrativa de Kafka é uma alegoria de toda a nossa cultura. Manifestamente, o autor considera que sua própria

---

[3] *Modern Language Association*: organização profissional de ensino universitário cujos congressos dedicados aos temas em voga são uma etapa obrigatória para quem quer fazer carreira nos estudos literários dos Estados Unidos. [N. E. francês]

arte encarna as tendências negativas, gnósticas e egoístas presentes em nosso mundo. Tudo isso foi brilhantemente analisado pelo poeta e ensaísta franco-israelense Claude Vigée num livro intitulado *Les Artistes de la Faim*.

Há agora leituras mais literais. Certos indícios sugerem que o próprio Kafka tinha tendências anoréxicas. Para um psiquiatra como Gerd Schütze, sua narrativa exprime tão fielmente "a essência, a tragédia e o desejo dos anoréxicos", que só um autor que conhecesse tudo isso de dentro poderia descrevê-lo. Essa abordagem não contradiz a interpretação literária e cultural de Vigée, mas a completa. Certas tendências são visíveis em nossa cultura muito antes de terem influenciado nossa alimentação. A preeminência atual da anorexia no sentido literal e de suas variantes bulímicas deve ser considerada como uma etapa essencial da revelação trágica e grotesca do que nos está acontecendo. Trata-se de algo muito mais significativo que uma epidemia que nos atingisse por acaso ou que uma bizarra mania cultural sem vínculo com a evolução geral de nossa sociedade.

Na conclusão da novela de Kafka, as massas deixam de se interessar pelo *Hungerkünstler*. Finalmente desalojado de sua jaula, ele será substituído não por um homem de idêntico ofício, mas por uma pantera ameaçadora de músculos possantes. Esse desfecho é amiúde lido, de forma bastante convincente, penso eu, como uma profecia do totalitarismo.

No entanto, a novela em seu conjunto e os ecos autobiográficos que se descobrem nela são proféticos de uma era posterior: a nossa. A metáfora transforma-se doravante num fato existencial maciço, de modo que a relação comum entre metáfora e realidade se encontra invertida de maneira enigmática, mas reveladora. Nossos relativistas não captam o alcance do que dizem ao afirmar que só as metáforas existem. Eles subestimam a capacidade que certas metáforas têm de adquirir uma realidade aterradora.

Certamente, tudo parece ultrapassado na medida em que nossa cultura pós-moderna renuncia ao princípio da novidade a qualquer preço, substituindo o fetichismo da inovação por um ecletismo caótico. Mas, longe de reabilitar a piedosa e paciente imitação dos clássicos, o pós-modernismo se assenhoreia insolente e indolentemente de tudo o que encontra no passado, sem seguir nenhum critério discernível e sem nos fornecer esses víveres nutritivos que nos faltam cruelmente. A nova escola nega implicitamente qualquer valor permanente ao passado de que extrai tudo. Ela regurgita rapidamente tudo o que ingurgita tão indiferentemente. Sou muito tentado a reduzir tudo isso ao equivalente estético não da anorexia desta vez, mas dessa síndrome da última moda, a *bulimia nervosa*. Tal como nossas princesas, nossos intelectuais e artistas estão alcançando o estágio bulímico da modernidade.

Como quer que seja, ainda não chegamos à última escalada. Devemos pois preparar-nos para coisas ainda mais espetaculares e dramáticas. Se nossos ancestrais pudessem ver os cadáveres gesticuladores que adornam as páginas de nossas revistas de moda, interpretá-los-iam verossimilmente como um *memento mori*, uma evocação da morte equivalente, talvez, às danças macabras nas paredes de certas igrejas medievais. Se lhes explicássemos que esses esqueletos desarticulados simbolizam aos nossos olhos o prazer, a felicidade, o luxo, o sucesso, eles provavelmente se lançariam a uma fuga pânica, imaginando-nos possuídos por um diabo particularmente maligno.

uma conversa com René Girard
Mark R. Anspach e Laurence Tacou

Mark Anspach: René Girard, poderia antes de tudo dizer-nos algo sobre a origem do texto aqui publicado? O que o levou a refletir sobre um assunto como a anorexia?

René Girard: Isso foi há muito tempo. Havia casos de anorexia não muito severos, mas reais, em minha própria família quando eu era criança, em particular uma jovem prima de que falo no texto. Por isso, a leitura do livro de Claude Vigée *Les Artistes de la Faim* (1960) me despertou lembranças. Depois, quando decidi escrever alguma coisa sobre o assunto, esse livro foi meu ponto de partida, porque eu conhecia Vigée.

M. A.: Como o conheceu?

R. G.: Quando ele lecionava na América, em Brandeis, eu era um jovem professor em Bryn Mawr, não estávamos muito distantes. Acabamos por nos encontrar numa reunião da Modern Language Association; era o meu primeiro amigo no meio universitário. Encontramo-nos também na França, continuamos a trocar nossos respectivos livros. Havia uma grande simpatia entre nós. Ele era um judeu alsaciano, imigrante nos Estados Unidos como eu. Era o colega de que me sentia mais próximo.

M. A.: Havia afinidades teóricas entre vocês?

R. G.: Não verdadeiramente, mas nessa época eu era menos monomaníaco! Em contrapartida, no momento em que escrevi meu texto sobre a anorexia, foi o lado contagioso, mimético do fenômeno que chamou minha atenção. Vigée não teve repercussão na sociologia contemporânea, mas, nos anos 1990, a sociedade americana tinha uma consciência aguda da coisa. Havia até processos contra certas casas de alta costura, com a mídia falando da moda feminina. Fui em busca da mais completa documentação. Além disso, eu tinha uma espécie de informante no *campus*, um estudante que conhecia muito bem a teoria mimética. Ele me comunicava suas observações sobre os outros rapazes de Stanford. Sobre a pressão que era exercida em favor da anorexia...

M. A.: Que forma assumia essa pressão? Os jovens falavam da coisa entre si? Eles se comparavam?

R. G.: Eles se comparavam mesmo sem falar disso, eles sabiam que isso existia, que dominava muito aspectos da cultura estudantil da época.

Laurence Tacou: A anorexia sempre foi um flagelo feminino. Havia realmente anorexia entre os rapazes, ou simplesmente eles faziam regime para não engordar?

R. G.: Essas coisas são muito difíceis de distinguir, porque, efetivamente, no passado nunca tinha havido esse gênero de regime entre os rapazes. Por conseguinte, boa parte desses estudantes considerava esse fato novo como uma extensão masculina do fenômeno anoréxico interpretado como preocupação com a magreza. É, portanto, uma coisa bem visual, ligada ao olhar do outro. Evidentemente, o rapaz com quem eu colaborava estava totalmente a par do ponto de vista teórico, não era uma testemunha totalmente imparcial.

M. A.: Ele próprio fazia regime?

R. G.: Ele me disse que ameaçava fazê-lo, mas a consciência que tinha do caráter coletivo e social da coisa o impedia. Ele não queria sucumbir a essa pressão, sentia-se vítima de um fenômeno social que ele não dominava.

M. A.: O estudo da teoria mimética era uma espécie de remédio para ele...

R. G.: No caso dele, a consciência que tinha o ajudou.

L. T.: No entanto, os cânones tradicionais da moda masculina nunca promoveram a imagem de um homem magro, mas, ao contrário, a de um homem bastante viril, e até os efebos não eram a princípio magros, enquanto para as garotas há essa imagem da jovem mulher exangue, pálida...

R. G.: Emaciada... A verdade é que eu não perseverei no estudo da coisa e não sei em que medida isso progrediu entre os rapazes. Meu antigo informante de Stanford foi lecionar num liceu de Wisconsin. Ele me disse que observara as mesmas tendências naquela escola, mas sem dar muitos detalhes.

M. A.: De fato, parece que assistimos hoje a uma mudança radical no tipo físico considerado desejável entre os manequins masculinos. Os jovens musculosos e bronzeados dão lugar aos rapazes pálidos e filiformes. O *New York Times* acaba de dedicar um artigo ao fenômeno. Os manequins mais procurados neste momento não são simplesmente magros, mas efetivamente emaciados, braços descarnados, peito afundado. Segundo o *Times*, essa nova moda começou por volta do ano 2000 com as roupas produzidas pelo estilista Hedi Slimane para a Dior Homme.[1] Em uma campanha publicitária para a Dior, vemos um manequim cujo índice de massa corporal é 18, o que representa exatamente a fronteira da anorexia.[2]

L. T.: Pode-se dizer que há uma indiferenciação crescente entre homens e mulheres.

R. G.: A diferença entre os sexos conta cada vez menos.

M. A.: Os novos manequins masculinos são certamente afeminados. Quando vemos as fotos desses rapazes diáfanos, sem musculatura, sem força física, sem energia, temos a impressão de que não conseguiriam fazer o menor esforço, o menor trabalho, e, portanto, que teriam necessidade de ser *sustentados*. O sustento de criaturas incapazes de trabalhar é outra forma do consumo ostentatório descrito por Thorstein Veblen no livro *Theory of the Leisure Class* (1899). Na época de Veblen, e até

---

[1] Guy Trebay, "The Vanishing Point". *New York Times*, 7 de fevereiro 2008.
[2] Paola De Carolis, "Viso Pallido, Corpo Emaciato. I Ragazzi 'Taglia Zero'". *Corriere della Sera*, 11 de fevereiro de 2008.

muito recentemente, era o homem que devia exibir-se de braço dado com uma mulher decorativa, uma mulher que servisse de troféu. Falava-se de *trophy wife*, mas agora a situação se inverteu: atrizes, cantoras ostentam seu *trophy husband*.

R. G.: Quer dizer, então, que Sarkozy é o *trophy husband* de Carla Bruni? (Risos.) Ela é uma personalidade mais importante que ele!

M. A.: Ela certamente é mais importante aos olhos dos dois interessados... Isso não impede que ela seja até muito magra, não por nada é manequim. Aliás, ela figura atualmente numa campanha de publicidade de um carro. Diz ali algo como: "Eis a primeira coisa que encontrei na garagem"... É a estratégia da indiferença.

R. G.: Como o jeans já usado que se compra. É preciso, porém, não mostrar que se quer impressionar os outros. Isso já se dá em Shakespeare com Beatriz e Benedito.[3] O primeiro a dizer "eu te amo" ao outro será o perdedor. Como nessas corridas de bicicletas em que, para ganhar, é preciso evitar partir demasiado rápido.

M. A.: Eles se dão assim um modelo por ultrapassar evitando que este os veja. É o querer vencer sem se pôr à frente, sem revelar o próprio desejo. Encontramos a mesma estratégia na literatura minimalista, na qual o autor esconde seu desejo de impressionar atrás de uma máscara de indiferença. Ele quer impressionar por sua própria

---

[3] Personagens de *Much Ado About Nothing* (*Muito Barulho por Nada*). (N. T.)

indiferença, a fim de provar sua superioridade. Penso na neutralidade estudada do estilo de *O Estrangeiro*, que o senhor analisou como uma astúcia que permite ao jovem Camus, ainda desconhecido, ocultar seu desejo de encontrar leitores.[4]

L. T.: Em certa época, era preciso exibir indiferença com relação à comida. A polidez fazia que as senhoras comessem em casa antes de ir a um jantar, para não mostrar sua glutonaria. Agora há uma série americana, *Desperate Housewives*, em que aparecem cinco mulheres magras como um caniço, mas que passam o tempo comendo, fazendo bolos... Aquilo faz a anorexia ser malvista, é preciso ser magro, mas continuar a comer.

R. G.: É o mesmo princípio da bulimia. A arte da bulimia é a solução bem americana, porque técnica, do problema. Podemos comer, empanzinar-nos e, em seguida, nos livrar do alimento. É o cúmulo do progresso técnico.

L. T.: Mas como explicar a atração pela mulher supermagra, como, por exemplo, Kate Moss, essa manequim muito conhecida que é considerada uma mulher extremamente bela, *sexy*, e que, no entanto, tem as faces encovadas e um ar bastante cadavérico?

---

[4] "Camus's Stranger Retried". In: René Girard, *"To Double Business Bound". Essays on Literature, Mimesis, and Anthropology*. Baltimore, Johns Hopkins University Press, 1978, p. 9-35. Stefano Tomelleri, que compara este artigo ao texto de Girard sobre os distúrbios alimentares, vê no solipsismo ostentatório de Meursault e na autodestruição competitiva da anoréxica duas expressões complementares do niilismo contemporâneo (ver a introdução de Tomelleri na coletânea de Girard, *Il Risentimento*. Milão, Raffaello Cortina, 1999, p. 14-16).

R. G.: A primeira vez que isso me surpreendeu foi numa grande loja de departamentos. Constatei que, no peito da manequim que estava vestida com uma roupa de banho, dava para ver todas as costelas. Aquilo lhe dava um aspecto sinistro, mas que era querido, a coisa vai longe apesar de tudo. Isso foi há quinze anos. O que é estranho é que essas modas parecem ter uma duração infinita; elas têm, portanto, um sentido profundo. A mudança é frequentemente considerada a essência da moda, mas aqui não há nenhuma mudança, é sempre a mesma coisa há mais de cem anos. Creio que cito a mulher do último imperador da Áustria, Sissi, e Eugênia, a esposa de Napoleão III, que comparavam suas respectivas cinturas quando estavam em algum encontro internacional.

L. T.: Ao mesmo tempo, os critérios de beleza continuaram a evoluir. Por exemplo, Marilyn Monroe e Ava Gardner não eram de modo algum mulheres magras, eram antes pequenas e cheinhas. No entanto, eram consideradas grandes beldades.

R. G.: Aliás, não há dúvida, é o tipo físico que os homens preferem. Mas a moda feminina tornou-se um fenômeno exclusivamente feminino, um lugar de rivalidades entre mulheres onde o homem não tem necessariamente vez.

L. T.: O que o senhor acha, então, das *fashion victims*, essas mulheres que estão inteiramente submersas nesta espécie de loucura da moda, e que não podem conceber a existência fora dela?

R. G.: É como todos os desejos obsessivos, desejo de poder, desejo de riqueza: é uma paixão rivalitária.

Essas mulheres querem ser admiradas pelas outras, querem ser o centro do mundo, e isso em um grau aberrante. Mas não é somente um fato individual: a existência das *fashion victims* é sem dúvida sinal de uma crise social, é um sinal dos tempos. Será que há exemplos disso no passado? *A priori* não temos testemunho nesse sentido...

L. T.: Sim, mas não era um fenômeno de massa. Antigamente a moda era reservada à elite, enquanto hoje atinge toda a população.

R. G.: O fenômeno se democratizou completamente. Na época de Sissi e de Eugênia, isso concernia às classes mais elevadas. Ter-se-ia podido, sem dúvida, fazer a divisão entre as classes sociais em função do peso das mulheres, e ter-se-ia percebido que o peso médio das mulheres da elite social era menor. A valorização estética da mulher muito magra começa com o *art nouveau*. Antes de 1920 essa tendência à magreza estava limitada à aristocracia; depois o fenômeno se espalhou, descendo a escala social. "Estar na linha": aí está uma expressão que eu já escutava na minha tenra infância, mas não muito abaixo na escala. Hoje a coisa se democratizou, menos para os que escapam à corrida por se recusarem verdadeiramente a participar dela.

M. A.: As mulheres pobres escapam dessa corrida porque não têm possibilidade de comer corretamente e se tornam obesas.

R. G.: Nos Estados Unidos, as mulheres pobres são as mais gordas porque comem alimentos que engordam e também porque não se privam de comer. Os dois elementos convergem.

M. A.: Segundo as últimas estatísticas, mais da metade da população adulta mundial – e quase dois terços dos homens – está acima do peso ou obesa.[5] Há pessoas que são ou muito gordas ou muito magras. O que falta, curiosamente, é o meio-termo, a normalidade.

R. G.: Exagera-se talvez, mas, com relação ao passado, essa é a tendência.

L. T.: Há até uma tendência a ser anormalmente magro e anormalmente gordo, tudo ao mesmo tempo, se se pensa nos seios siliconados, nos lábios inflados...

M. A.: As mulheres estão divididas entre dois ideais contraditórios, a magreza e a volúpia, e não podem atingir os dois simultaneamente.

R. G.: Isso faz pensar no corpo de certos insetos que são separados, divididos na altura do abdômen por uma espécie de fio. Há algo do inseto ali dentro.

M. A.: Vemos insetos gigantes nos filmes de ficção científica; são os *monstros*. O aparecimento dos monstros não será um sintoma característico de uma crise de indiferenciação? Desde pelo menos os anos 1950, o cinema

---

[5] B. Balkau et al., "A Study of Waist Circumference, Cardiovascular Disease, and Diabetes Mellitus in 168 000 Primary Care Patients in 63 Countries". *Circulation*, 116, outubro de 2007, p. 1942-51.

americano regurgita de monstros. O que é novo é o fato de ter vedetes femininas de formas monstruosas.

L. T.: Como se deve interpretar essa mania do corpo que atinge assim os extremos? A mulher de hoje parece totalmente obcecada pelo corpo.

R. G.: Isso se liga à estética contemporânea centrada no indivíduo, para o indivíduo, e que exclui todo e qualquer valor social e, sobretudo, religioso. É a manifestação principal desse fenômeno.

M. A.: O senhor quer dizer com isso que, dada a total ausência de valores, de modelos do que se deve fazer com sua vida, as pessoas se voltam para seu próprio corpo?

R. G.: Creio que sim. Nossa sociedade é completamente materialista; é muito difícil encontrar novos valores.

L. T.: Há uma falta de valores, e há também uma falta de *ritos*. A anorexia entre os adolescentes não se ligará ao fato de vivermos em sociedades inteiramente "desritualizadas", onde já não há nenhuma passagem para a idade adulta? Os jovens dão a si mesmos espécies de ritos de iniciação, naturalmente impostos por um modelo. Eles querem ir além de seus limites através desses jejuns. Antigamente havia a religião: os jejuns rituais, a Quaresma, que já quase não existem em nossos dias. Não haverá para as adolescentes um desejo de pureza que se manifesta nesses jejuns?

R. G.: Dadas as minhas preocupações, enfatizo antes a rivalidade. Mas é claro que tudo isso existe, tudo isso pode estar presente antes, ou juntar-se a ela muito facilmente. As pessoas envolvidas podem muito bem não ver os motivos rivalitários e ser dominadas por eles sem os perceber. O estranho é que os conventos medievais estavam bem mais a par do perigo que o mundo moderno. Isso fazia parte dos manuais de ascetismo. Na Idade Média, havia uma concorrência no jejum entre as pessoas que queriam adquirir reputação de asceta. Havia um objetivo positivo, uma verdadeira ambição de dominar – análoga mas não idêntica à anorexia moderna, que está ligada ao olhar, ao universo da fotografia. Então se tratava de uma vontade de poder que se manifestava no desejo de ser mais ascética que a vizinha, de ser mais capaz de resistir à fome. Entre os anoréxicos, a fome é totalmente dominada; parece-me ser algo mais centrado no Eu. O Outro sempre representa aí um papel vital, mas esse papel se encontra de algum modo midiatizado por muitos fatores externos. Em um convento, onde duas freiras lutam para ser a dominante, a Outra intervém de maneira mais simples e direta.

M. A.: Um convento é um lugar muito particular, um lugar caracterizado por certa indiferenciação. As freiras se vestem da mesma forma, velando o corpo e os cabelos, têm de se conformar à mesma rotina cotidiana e se empenham em viver juntas dia após dia num mesmo lugar a portas fechadas. Se querem distinguir-se no seio desse quadro tão penoso, a rivalidade no ascetismo seria um dos únicos meios de fazê-lo.

R. G.: É isso, o ponto de partida é diferente, mas a tendência à rivalidade está sempre no centro da questão. E, a partir do momento que a rivalidade se põe em marcha, já não há limites.

M. A.: À primeira vista, a sociedade moderna tem pouco em comum com um convento, mas talvez existam semelhanças paradoxais entre os dois. Se, num convento ou num mosteiro, todo mundo é do mesmo sexo, em nossa sociedade a diferença entre os sexos se desvanece, o que em certo sentido vem a dar no mesmo. A diferença entre as gerações se desvanece igualmente, com todos os adultos querendo "ser jovens", enquanto os jovens querem se comportar como adultos. São as categorias antropológicas básicas que entram em crise. Tal contexto de indiferenciação crescente não será particularmente propício à explosão de rivalidades em torno de objetivos tão fúteis quanto a magreza? Rivalidades que nenhuma barreira cultural consegue conter, em razão desse declínio dos ritos religiosos tradicionais que Laurence Tacou evoca.

R. G.: O mundo moderno suprime a religião, mas produz novos ritos, bem mais penosos, bem mais temíveis que os do passado, ritos que se religam à religiosidade arcaica de um modo que ainda está por definir.

M. A.: Provas corporais, como a busca do emagrecimento extremo, mas também os *piercings*, as tatuagens...?

R. G.: Sim, mas o essencial é sempre o Outro, um Outro que não importa quem seja, a encarnação de uma totalidade inexpugnável, presente em todas as partes e em parte alguma, e que as pessoas se obstinam em querer seduzir. É o Outro como obstáculo insuperável. A coisa se torna uma submissão a um imperativo puramente metafísico. Se você não tiver a verdadeira religião, terá uma religião mais terrível...

M. A.: Um dos grandes profetas dessa religião terrível que surge depois da religião é Franz Kafka, de que o senhor falou em seu texto a respeito de "Um Artista da Fome". Kafka disse de Balzac esta frase reveladora: "Balzac usava uma bengala em que estavam inscritos os seguintes dizeres: *Eu esmago todos os obstáculos*; mas para mim os dizeres são: *Todos os obstáculos me esmagam*".

R. G.: Isso testemunha bem uma mudança de época. Balzac ainda podia exprimir a atitude conquistadora do modernismo ingênuo. Mas quando se chega a Kafka as coisas se tornam mais tortuosas, começa-se a dizer que um obstáculo que se deixa esmagar não é um obstáculo digno desse nome. Para Kafka, o último obstáculo que resta é precisamente esse Outro que está em todas as partes e em parte alguma. É o modelo mimético onipresente e anônimo.

L. T.: Há algo que me perturba ligeiramente nessa ideia de um modelo mimético onipresente. Afinal de contas, o senhor sempre conseguiu encontrar modelos miméticos em todas as partes. Isso não corre o risco de se tornar uma fraqueza tanto quanto uma força de sua abordagem? Não há verdadeiramente nenhum limite à aplicabilidade da teoria mimética?

R. G.: A teoria mimética não se aplica a todas as relações humanas, mas mesmo nas relações com os entes mais próximos é preciso ter consciência dos mecanismos que ela descreve. O que eu tento mostrar é que nossa época é caricatural! Porque todos participamos desse exagero, ela se torna paradoxalmente mais difícil de perceber que a normalidade passada. Eis o paradoxo de minha tese; ela pode ser exagerada, e, se a julgo verdadeira, é porque creio também que o verdadeiro, hoje em dia, deixou de ser verossímil.

L. T.: O senhor acha que certas pessoas não têm vontade de ouvir falar da teoria mimética porque ela lança luz sobre coisas, afinal de contas, muito íntimas?

R. G.: A maioria das pessoas são perfeitamente capazes de ler a teoria mimética como uma simples sátira social, sem se sentirem pessoalmente implicadas. Os que têm bastante senso de humor chegam a dizer: sim, eu me entrego a alguns desses exercícios; acontece que também ajo por pura imitação. Não raro as modas não têm sentido, são simplesmente imitadas sem que os que as imitam reflitam sobre seu significado. Isso não os impede de segui-la. O indivíduo torna-se veículo de um significado que lhe escapa.

L. T.: E quanto ao senhor? O senhor pensa ser permeável às modas do dia, às ideias ambientes?

R. G.: Penso que à medida que envelheço me torno menos permeável, mas certamente o fui. Se eu mesmo não o tivesse sido, não teria compreendido o fenômeno. A pessoa precisa de uma espécie de conversão pessoal, de uma aceitação da humilhação, para dizer a si mesma: "Fui terrivelmente mimético em tal ocasião, tentarei ser menos". Mas a imitação dos outros, em muitos casos, não me incomoda.

M. A.: Em um texto autobiográfico publicado no Cahier de l'Herne dedicado ao senhor,[6] o senhor mesmo diz que sofreu

---

[6] René Girard, "Souvenirs d'un Jeune Français aux États-Unis". In: *Cahier*

de uma "doença mimética" particularmente aguda, que se traduzia numa espécie de esnobismo literário às avessas.

R. G.: O esnobismo comum, o descrito por Proust, consiste em se interessar somente pelas obras designadas pelos modelos prestigiosos. Meu caso era ainda mais grave, porque eu era alérgico a qualquer leitura sugerida por qualquer outro. A forma mais extrema do mimetismo é o antimimetismo intransigente, pois, se não é preciso ser escravo da opinião dos outros, é impossível fechar-se a tudo o que vem dos outros. A imitação de bons modelos é inevitável e até indispensável para a criatividade. Rejeitando sistematicamente qualquer modelo exterior, corremos o risco de cair na esterilidade intelectual.

L. T.: O senhor não tem medo de que a própria teoria mimética acabe por se fazer rejeitar se se tornar objeto de uma moda demasiado pronunciada, de um entusiasmo exagerado que possa voltar-se contra ela?

R. G.: A curto prazo, esse gênero de oscilação da opinião em função das modas e das contramodas é sempre possível. A longo prazo, porém, penso que uma teoria só durará se ela tiver penetrado a realidade; sou completamente realista nesse sentido. A compreensão mimética da realidade está apenas no começo. Haverá um momento em que tudo isso se tornará evidente. Passar-se-á da recusa a vê-lo a uma espécie de exagero na observação da coisa. Mas nada é certo.

Girard. Paris, Éditions de l'Herne, 2008. (Este livro será publicado na Biblioteca René Girard – N. T.)

M. A.: Eu gostaria de voltar ao assunto inicial retomando a questão dos limites da interpretação mimética no que concerne aos distúrbios alimentares em particular. Muitos observadores reconhecem a influência nefasta dos modelos culturais que propagam um ideal de magreza extrema, mas essa influência atinge todas as mulheres, ao passo que a anorexia propriamente dita, aquela que mina a saúde e pode levar à morte, permanece, apesar de tudo, uma doença antes rara. Por que então essa grave patologia atinge somente algumas mulheres e não outras? Gérard Apfeldorfer, um psiquiatra especialista em distúrbios alimentares entrevistado pelo *Libération*, afirma: "Não é a anoréxica que o quer, é uma doença mental. Há disposições psicológicas, antecedentes familiares. Em sua forma mais corrente, essa doença traduz um distúrbio narcisista, não uma vontade de imitar manequins".[7]

R. G.: Sou contra esse gênero de explicação em termos de psicologia clássica. Não acredito na existência do narcisismo tal como Freud o definiu. Somos todos centrados em nós mesmos e dependentes dos outros na mesma medida, as duas coisas seguem juntas. Todos nos comparamos aos outros, todos somos levados à rivalidade mimética, mas nem todo mundo leva tal tendência até a patologia. Por que a anorexia atinge algumas mulheres mais que a outras? Os indivíduos são mais ou menos rivalitários, e isso se dá tanto no caso da magreza como em outros domínios. As mulheres anoréxicas querem ser campeãs em sua categoria. Dá-se algo semelhante no mundo das finanças.

---

[7] Citado por Cécile Daumas, "Le Corps du Délit". *Libération*, 29 de setembro de 2006.

A diferença é que o desejo de ser mais rico que os outros não aparece como patologia. Em contrapartida, o desejo de ser mais magra, se levado ao extremo, tem efeitos funestos visíveis no plano físico. Mas, se uma moça é anoréxica, isso significa que ela escolheu esse domínio de concorrência, o qual é difícil de abandonar antes da vitória; seria desistir do campeonato. O resultado final é trágico nos casos extremos, mas isso não nos deve fazer perder de vista o fato de que a obsessão pela magreza caracteriza toda a nossa cultura, de modo algum é algo que distinga essas jovens.

M. A.: Em seu clássico estudo dos distúrbios alimentares, Hilde Bruch faz um balanço de suas próprias observações clínicas a respeito de 51 pacientes anoréxicas e de suas famílias. Ela observa, entre outras coisas, que os pais das pacientes eram "enormemente preocupados com a aparência exterior no sentido físico da palavra"; eles admiravam a beleza corporal, a forma física...[8]

R. G.: E, portanto, a magreza! Nesse caso, os pais são importantes enquanto representantes da sociedade, são correias de transmissão da cultura ambiente. Quando Freud fala do pai e da mãe, seu estatuto permanece ambíguo. Nunca se sabe se os pais são importantes por razões biológicas, ou porque dominam a vida da criança desde o início. Freud permanece equivocado a respeito desse ponto.

M. A.: De fato, Hilde Bruch acrescenta que tanto a preocupação dos pais das pacientes com a forma física como

---

[8] Hilde Bruch, *Eating Disorders. Obesity, Anorexia Nervosa, and the Person Within*. Londres, Routledge & Kegan Paul, 1974, p. 82.

sua vontade de ver os filhos "bem-sucedidos" são certamente traços comuns a muitas famílias burguesas, ainda que esses mesmos traços se encontrem talvez de forma mais exagerada nas famílias das anoréxicas.

R. G.: A anorexia é um fenômeno que aparece numa época em que a família se dissolve. Querendo a todo preço procurar uma explicação nas famílias dos pacientes, os estudiosos permanecem prisioneiros de um esquema cada vez menos pertinente.

M. A.: A grande especialista italiana em anorexia, Mara Selvini Palazzoli, fundadora da escola milanesa de terapia familiar, fez uma observação sobre as famílias das anoréxicas que, apesar de tudo, deve interessá-lo. Segundo ela, os pais das pacientes são presas de uma rivalidade para ocupar o lugar da vítima sacrificial...[9]

R. G.: Os psicólogos podem ter razão aqui e ali, em casos individuais, mas servir-se deles para negar a dimensão social de um fenômeno que cresce há 150 anos em todas as direções é um esforço, a meu ver, por mascarar a normalidade de nossa sociedade.

M. A.: Deixemos de lado, então, a questão das famílias e voltemos uma última vez ao contexto social. Eu já sublinhei o fato de que a exacerbação do fenômeno anoréxico intervém num contexto da indiferenciação crescente, de indiferenciação entre os sexos, entre as gerações.

---

[9] Mara Selvini Palazzoli, *L'Anoressia Mentale. Dalla Terapia Individuale alla Terapia Familiare* [1963]. Milão, Raffaello Cortina, 2006, p. 220.

Poder-se-ia falar de uma crise das diferenças e talvez até de uma "crise sacrificial" no sentido dado pelo senhor, ou seja, de uma crise que não se deixa resolver pelo recurso aos sacrifícios rituais e que se presta, portanto, a ondas vitimárias espontâneas, "selvagens". No final de seu texto, o senhor compara as imagens dos "cadáveres gesticuladores" das revistas de moda às danças macabras e aos *memento mori* da Idade Média. Eu me pergunto se não é preciso interpretar em termos vitimários a atração pelos manequins de aspecto cadavérico como Kate Moss.

L. T.: É, ainda assim, um fenômeno recorrente, que parece ligado à adolescência. Viu-se aparecer algo análogo com os "mortos-vivos" da época romântica; era chique na época estar em artigo de morte.

M. A.: Mais recentemente se falou de *"heroin chic"* a respeito de manequins magras com olheiras que exibem o olhar vazio característico dos drogados. De fato, Kate Moss não é apenas esquelética; é viciada. Quando circularam imagens em que ela era vista usando cocaína, houve primeiramente uma reação negativa, campanhas publicitárias canceladas e, depois, o movimento inverso. Definitivamente, e perdoem-me o jogo de palavras, isso não fez senão dopar sua carreira. Seria fácil multiplicar os exemplos: Britney Spears, Amy Winehouse... Certamente, isso não é novo, os ídolos dos jovens devem flertar com a autodestruição, o que reforça sua imagem de divindades malditas, mas tenho a impressão de que o processo se torna completamente caricatural.

R. G.: Como no caso da magreza, há uma escalada mimética. Precisa-se sempre de uma transgressão mais forte, e acaba-se por tender para modalidades que, se forem imitadas, se mostrarão incompatíveis com uma vida social organizada. A vida social se desagrega.

M. A.: A vida social se desagrega, mas as primeiras vítimas são os indivíduos que seguem essas modas miméticas até o sacrifício supremo. Penso nas jovens modelos que desabam em desfiles de moda, como aquela uruguaia de 22 anos que morreu na Espanha em 2 de agosto de 2006, da qual se conta que não tinha comido nada por duas semanas, e isso após ter seguido, durante meses, um regime limitado a folhas de salada e Coca *light*.[10] Essas são as *fashion victims* em sentido bem literal. Elas morreram para realizar um ideal promovido pela comunidade.

R. G.: É um pouco como o terrorista suicida com relação aos que alentam sua ação, é uma espécie de mártir.

L. T.: Mártires da moda, de algum modo...

M. A.: A comparação pode parecer temerária, mas não creio que seja imprópria. Ela vale mesmo nos dois sentidos, pois em certos países, em certos meios – e quaisquer que sejam, aliás, suas motivações religiosas ou políticas – o atentado suicida se tornou verdadeiramente um fenômeno de moda. Não se deve imaginar que as modas só existam entre nós, subestimando o papel que desempenham nas culturas não ocidentais. O mimetismo exerce seus efeitos em todas as sociedades humanas. No Iraque, por exemplo, após a queda de Saddam Hussein, houve um

---

[10] Daumas, op. cit.

grande entusiasmo pelo extremismo religioso que, parece, já diminuiu um pouco. Segundo um funcionário iraquiano, tudo se passava exatamente como se seus cidadãos tivessem querido "vestir uma nova roupa na moda"...[11] Em suma, os próprios terroristas suicidas também são mártires da moda. A moda faz mártires em todas as partes, mas vemos melhor o martírio alhures, na moda entre nós.

R. G.: Nós não vemos o martírio entre nós quando olhamos certas imagens sinistras apresentadas pelas revistas de moda, imagens em que uma sociedade sã veria rostos da morte. Isso permanece como algo do inconsciente.

M. A.: E as jovens que, manequins ou não, morrem realmente querendo conformar-se a essas imagens? Se seus esforços por realizar até o fim um ideal promovido pela comunidade as conduzem ao martírio, podemos qualificá-las de vítimas sacrificiais? Esta é a última pergunta que eu gostaria de lhe fazer. Devemos ver nisso um sacrifício no sentido da sua teoria antropológica?

R. G.: O imperativo que leva essas mulheres a se deixar morrer de fome vem de toda a sociedade. É um imperativo unânime. Desse ponto de vista, pois, é organizado como um sacrifício. E o fato de ser inconsciente mostra, de maneira bastante assustadora, que há uma espécie de retorno ao arcaísmo em nosso mundo.

Paris, dezembro de 2007

---

[11] Sabrina Tavernise, "Young Iraqis Are Losing Faith in Religion". *International Herald Tribune*, 4 de março de 2008.

referências bibliográficas

BRUCH, Hilde. *Eating Disorders*. Nova York: Basic Books, 1973.

GRANT, Stephanie. *The Passion of Alice*. Boston: Houghton-Mifflin, 1995.

RODRIGUE, Valérie. *La Peau à l'Envers. Le Roman Vrai d'une Boulimique*. Paris: Robert Laffont, 1989.

RUSSEL, Gerald F. M. "Bulimia Nervosa: An Ominous Variant of Anorexia Nervosa". *Psychological Medicine* 9, 1979, p. 429-48.

SCHÜTZE, Gerd. *Anorexia Nervosa*. Berna, Stuttgart e Viena: Huber, 1980.

VANDEREYCKEN, Walter; VAN DETH, Ron. *From Fasting Saints to Anorexic Girls*. Nova York: New York University Press, 1994.

VEBLEN, Thorstein. *Theory of the Leisure Class*. Nova York, Macmillan, 1899 (trad. fr. *Théorie de la Classe de Loisir*. Paris: Gallimard, 1979).

VIGÉE, Claude. *Les Artistes de la Faim*. Paris: Calman-Lévy, 1960.

breve explicação

Arnaldo Momigliano inspira nossa tarefa, já que a alquimia dos antiquários jamais se realizou: nenhum catálogo esgota a pluralidade do mundo e muito menos a dificuldade de uma questão complexa como a teoria mimética.

O cartógrafo borgeano conheceu constrangimento semelhante, como Jorge Luis Borges revelou no poema "La Luna". Como se sabe, o cartógrafo não pretendia muito, seu projeto era modesto: "cifrar el universo / En un libro". Ao terminá-lo, levantou os olhos "con ímpetu infinito", provavelmente surpreso com o poder de palavras e compassos. No entanto, logo percebeu que redigir catálogos, como produzir livros, é uma tarefa infinita:

> Gracias iba a rendir a la fortuna
> Cuando al alzar los ojos vio un bruñido
> Disco en el aire y comprendió aturdido
> Que se había olvidado de la luna.

Nem antiquários, tampouco cartógrafos: portanto, estamos livres para apresentar ao público brasileiro uma cronologia que não se pretende exaustiva da vida e da obra de René Girard.

Com o mesmo propósito, compilamos uma bibliografia sintética do pensador francês, privilegiando os livros publicados. Por isso, não mencionamos a grande quantidade de ensaios e capítulos de livros que escreveu, assim como de entrevistas que concedeu. Para o leitor interessado numa relação completa de sua vasta produção, recomendamos o banco de dados organizado pela Universidade de Innsbruck: http://www.uibk.ac.at/rgkw/mimdok/suche/index.html.en.

De igual forma, selecionamos livros e ensaios dedicados, direta ou indiretamente, à obra de René Girard, incluindo os títulos que sairão na Biblioteca René Girard. Nosso objetivo é estimular o convívio reflexivo com a teoria mimética. Ao mesmo tempo, desejamos propor uma coleção cujo aparato crítico estimule novas pesquisas.

Em outras palavras, o projeto da Biblioteca René Girard é também um convite para que o leitor venha a escrever seus próprios livros acerca da teoria mimética.

cronologia de René Girard

René Girard nasce em Avignon (França) no dia 25 de dezembro de 1923; o segundo de cinco filhos. Seu pai trabalha como curador do Museu da Cidade e do famoso "Castelo dos Papas". Girard estuda no liceu local e recebe seu *baccalauréat* em 1940.

De 1943 a 1947 estuda na École des Chartes, em Paris, especializando-se em história medieval e paleografia. Defende a tese *La Vie Privée à Avignon dans la Seconde Moitié du XVme Siècle*.

Em 1947 René Girard deixa a França e começa um doutorado em História na Universidade de Indiana, Bloomington, ensinando Literatura Francesa na mesma universidade. Conclui o doutorado em 1950 com a tese *American Opinion on France, 1940-1943*.

No dia 18 de junho de 1951, Girard casa-se com Martha McCullough. O casal tem três filhos: Martin, Daniel e Mary.

Em 1954 começa a ensinar na Universidade Duke e, até 1957, no Bryn Mawr College.

Em 1957 torna-se professor assistente de Francês na Universidade Johns Hopkins, em Baltimore.

Em 1961 publica seu primeiro livro, *Mensonge Romantique et Vérité Romanesque*, expondo os princípios da teoria do desejo mimético.

Em 1962 torna-se professor associado na Universidade Johns Hopkins.

Organiza em 1962 *Proust: A Collection of Critical Essays*, e, em 1963, publica *Dostoïevski, du Double à l'Unité*.

Em outubro de 1966, em colaboração com Richard Macksey e Eugenio Donato, organiza o colóquio internacional "The Languages of Criticism and the Sciences of Man". Nesse colóquio participam Lucien Goldmann, Roland Barthes, Jacques Derrida, Jacques Lacan, entre outros. Esse encontro é visto como a introdução do estruturalismo nos Estados Unidos. Nesse período, Girard desenvolve a noção do assassinato fundador.

Em 1968 tranfere-se para a Universidade do Estado de Nova York, em Buffalo, e ocupa a direção do Departamento de Inglês. Principia sua colaboração e amizade com Michel Serres. Começa a interessar-se mais seriamente pela obra de Shakespeare.

Em 1972 publica *La Violence et le Sacré*, apresentando o mecanismo do bode expiatório. No ano seguinte, a revista *Esprit* dedica um número especial à obra de René Girard.

Em 1975 retorna à Universidade Johns Hopkins.

Em 1978, com a colaboração de Jean-Michel Oughourlian e Guy Lefort, dois psiquiatras franceses, publica seu terceiro livro, *Des Choses Cachées depuis la Fondation du Monde*. Trata-se de um longo e sistemático diálogo sobre a teoria mimética compreendida em sua totalidade.

Em 1980, na Universidade Stanford, recebe a "Cátedra Andrew B. Hammond" em Língua, Literatura e Civilização Francesa. Com a colaboração de Jean-Pierre Dupuy, cria e dirige o "Program for Interdisciplinary Research", responsável pela realização de importantes colóquios internacionais.

Em 1982 publica *Le Bouc Émissaire* e, em 1985, *La Route Antique des Hommes Pervers*. Nesses livros, Girard principia a desenvolver uma abordagem hermenêutica para uma leitura dos textos bíblicos com base na teoria mimética.

Em junho de 1983, no Centre Culturel International de Cerisy-la-Salle, Jean-Pierre Dupuy e Paul Dumouchel organizam o colóquio "Violence et Vérité. Autour de René Girard". Os "Colóquios de Cerisy" representam uma referência fundamental na recente história intelectual francesa.

Em 1985 recebe, da Frije Universiteit de Amsterdã, o primeiro de muitos doutorados *honoris causa*. Nos anos seguintes, recebe a mesma distinção da Universidade de Innsbruck, Áustria (1988); da Universidade de Antuérpia, Bélgica (1995); da Universidade de Pádua, Itália (2001); da Universidade de Montreal, Canadá (2004); da University College London, Inglaterra (2006); da Universidade de St Andrews, Escócia (2008).

Em 1990 é criado o Colloquium on Violence and Religion (COV&R). Trata-se de uma associação internacional de pesquisadores dedicada ao desenvolvimento e à crítica da teoria mimética, especialmente no tocante às relações entre violência e religião nos primórdios da cultura. O Colloquium on Violence and Religion organiza colóquios anuais e publica a revista *Contagion*. Girard é o presidente honorário da instituição. Consulte-se a página: http://www.uibk.ac.at/theol/cover/.

Em 1990 visita o Brasil pela primeira vez: encontro com representantes da Teologia da Libertação, realizado em Piracicaba, São Paulo.

Em 1991 Girard publica seu primeiro livro escrito em inglês: *A Theatre of Envy: William Shakespeare* (Oxford University Press). O livro recebe o "Prix Médicis", na França.

Em 1995 aposenta-se na Universidade Stanford.

Em 1999 publica *Je Vois Satan Tomber comme l'Éclair*. Desenvolve a leitura antropológica dos textos bíblicos com os próximos dois livros: *Celui par qui le Scandale Arrive* (2001) e *Le Sacrifice* (2003).

Em 2000 visita o Brasil pela segunda vez: lançamento de *Um Longo Argumento do Princípio ao Fim. Diálogos com João Cezar de Castro Rocha e Pierpaolo Antonello*.

Em 2004 recebe o "Prix Aujourd'hui" pelo livro *Les Origines de la Culture. Entretiens avec Pierpaolo Antonello et João Cezar de Castro Rocha*.

Em 17 de março de 2005 René Girard é eleito para a Académie Française. O "Discurso de Recepção" foi feito por Michel Serres em 15 de dezembro. No mesmo ano, cria-se em Paris a Association pour les Recherches Mimétiques (ARM).

Em 2006 René Girard e Gianni Vattimo dialogam sobre cristianismo e modernidade: *Verità o Fede Debole? Dialogo su Cristianesimo e Relativismo*.

Em 2007 publica *Achever Clausewitz*, um diálogo com Benoît Chantre. Nessa ocasião, desenvolve uma abordagem apocalíptica da história.

Em outubro de 2007, em Paris, é criada a "Imitatio. Integrating the Human Sciences", (http://www.imitatio.org/), com apoio da Thiel Foundation. Seu objetivo é ampliar e promover as consequências da teoria girardiana sobre o comportamento humano e a cultura. Além disso, pretende apoiar o estudo interdisciplinar da teoria mimética. O primeiro encontro da Imitatio realiza-se em Stanford, em abril de 2008.

Em 2008 René Girard recebe a mais importante distinção da Modern Language Association (MLA): "Lifetime Achievement Award".

bibliografia de René Girard

Mensonge Romantique et Vérité Romanesque. Paris: Grasset, 1961. [*Mentira Romântica e Verdade Romanesca.* Trad. Lília Ledon da Silva. São Paulo: Editora É, 2009.]
Proust: A Collection of Critical Essays. Englewood Cliffs: Prentice Hall, 1962.
Dostoïevski, du Double à l'Unité. Paris: Plon, 1963. (Este livro será publicado na Biblioteca René Girard)
La Violence et le Sacré. Paris: Grasset, 1972.
Critique dans un Souterrain. Lausanne: L'Age d'Homme, 1976.
To Double Business Bound: Essays on Literature, Mimesis, and Anthropology. Baltimore: Johns Hopkins University Press, 1978. (Este livro será publicado na Biblioteca René Girard)
Des Choses Cachées depuis la Fondation du Monde. Pesquisas com Jean-Michel Oughourlian e Guy Lefort. Paris: Grasset, 1978.
Le Bouc Émissaire. Paris: Grasset, 1982.
La Route Antique des Hommes Pervers. Paris: Grasset, 1985.
Violent Origins: Walter Burkert, René Girard, and Jonathan Z. Smith on Ritual Killing and Cultural Formation. Org. Robert Hamerton-Kelly. Stanford: Stanford University Press, 1988. (Este livro será publicado na Biblioteca René Girard)

A Theatre of Envy: William Shakespeare. Nova York: Oxford University Press, 1991. [*Shakespeare: Teatro da Inveja.* Trad. Pedro Sette-Câmara. São Paulo: Editora É, 2010.]

Quand ces Choses Commenceront... Entretiens avec Michel Treguer. Paris: Arléa, 1994. (Este livro será publicado na Biblioteca René Girard)

The Girard Reader. Org. James G. Williams. Nova York: Crossroad, 1996.

Je Vois Satan Tomber comme l'Éclair. Paris: Grasset, 1999.

Um Longo Argumento do Princípio ao Fim. Diálogos com João Cezar de Castro Rocha e Pierpaolo Antonello. Rio de Janeiro: Topbooks, 2000. Este livro, escrito em inglês, foi publicado, com algumas modificações, em italiano, espanhol, polonês, japonês, coreano, tcheco e francês. Na França, em 2004, recebeu o "Prix Aujourd'hui".

Celui par Qui le Scandale Arrive: Entretiens avec Maria Stella Barberi. Paris: Desclée de Brouwer, 2001. (Este livro será publicado na Biblioteca René Girard)

La Voix Méconnue du Réel: Une Théorie des Mythes Archaïques et Modernes. Paris: Grasset, 2002. (Este livro será publicado na Biblioteca René Girard)

Il Caso Nietzsche. La Ribellione Fallita dell'Anticristo. Com colaboração e edição de Giuseppe Fornari. Gênova: Marietti, 2002.

Le Sacrifice. Paris: Bibliothèque Nationale de France, 2003. (Este livro será publicado na Biblioteca René Girard)

Oedipus Unbound: Selected Writings on Rivalry and Desire. Org. Mark R. Anspach. Stanford: Stanford University Press, 2004.

Miti d'Origine. Massa: Transeuropa Edizioni, 2005. (Este livro será publicado na Biblioteca René Girard)

Verità o Fede Debole. Dialogo su Cristianesimo e Relativismo. Com Gianni Vattimo. Org. Pierpaolo Antonello. Massa: Transeuropa Edizioni, 2006.

Achever Clausewitz (Entretiens avec Benoît Chantre). Paris: Carnets Nord, 2007. (Este livro será publicado na Biblioteca René Girard)

Le Tragique et la Pitié: Discours de Réception de René Girard à l'Académie Française et Réponse de Michel Serres. Paris: Editions le Pommier, 2007. (Este livro será publicado na Biblioteca René Girard)

De la Violence à la Divinité. Paris: Grasset, 2007. Reunião dos principais livros de Girard publicados pela Editora Grasset, acompanhada de uma nova introdução para todos os títulos. O volume inclui *Mensonge Romantique et Vérité Romanesque, La Violence et le Sacré, Des Choses Cachées depuis la Fondation du Monde* e *Le Bouc Émissaire.*

Dieu, une Invention?. Com André Gounelle e Alain Houziaux. Paris: Editions de l'Atelier, 2007. (Este livro será publicado na Biblioteca René Girard)

Evolution and Conversion. Dialogues on the Origins of Culture. Com Pierpaolo Antonello e João Cezar de Castro Rocha. Londres: The Continuum, 2008. (Este livro será publicado na Biblioteca René Girard)

Anorexie et Désir Mimétique. Paris: L'Herne, 2008. (Este livro será publicado na Biblioteca René Girard)

Mimesis and Theory: Essays on Literature and Criticism, 1953-2005. Org. Robert Doran. Stanford: Stanford University Press, 2008.

La Conversion de l'Art. Paris: Carnets Nord, 2008. Este livro é acompanhado por um DVD, *Le Sens de l'Histoire*, que reproduz um diálogo com Benoît Chantre. (Este livro será publicado na Biblioteca René Girard)

Gewalt und Religion: Gespräche mit Wolfgang Palaver. Berlim: Matthes & Seitz Verlag, 2010.

Géométries du Désir. Prefácio de Mark Anspach. Paris: Ed. de L'Herne, 2011.

bibliografia selecionada sobre René Girard[1]

BANDERA, Cesáreo. *Mimesis Conflictiva*: *Ficción Literaria y Violencia en Cervantes y Calderón*. (Biblioteca Románica Hispánica – Estudios y Ensayos 221). Prefácio de René Girard. Madri: Editorial Gredos, 1975.

SCHWAGER, Raymund. *Brauchen Wir einen Sündenbock? Gewalt und Erläsung in den Biblischen Schriften*. Munique: Kasel, 1978.

DUPUY, Jean-Pierre e DUMOUCHEL, Paul. *L'Enfer des Choses: René Girard et la Logique de l'Économie*. Posfácio de René Girard. Paris: Le Seuil, 1979.

CHIRPAZ, François. *Enjeux de la Violence*: *Essais sur René Girard*. Paris: Cerf, 1980.

GANS, Eric. *The Origin of Language*: *A Formal Theory of Representation*. Berkeley: University of California Press, 1981.

AGLIETTA, M. e ORLÉAN, A. *La Violence de la Monnaie*. Paris: PUF, 1982.

---

[1] Agradecemos a colaboração de Pierpaolo Antonello, do St John's College (Universidade de Cambridge). Nesta bibliografia, adotamos a ordem cronológica em lugar da alfabética a fim de evidenciar a recepção crescente da obra girardiana nas últimas décadas.

OUGHOURLIAN, Jean-Michel. *Un Mime Nomme Desir: Hysterie, Transe, Possession, Adorcisme*. Paris: Éditions Grasset et Fasquelle, 1982. (Este livro será publicado na Biblioteca René Girard)

DUPUY, Jean-Pierre e DEGUY, Michel (orgs.). *René Girard et le Problème du Mal*. Paris: Grasset, 1982.

DUPUY, Jean-Pierre. *Ordres et Désordres*. Paris: Le Seuil, 1982.

FAGES, Jean-Baptiste. *Comprendre René Girard*. Toulouse: Privat, 1982.

MCKENNA, Andrew J. (org.). *René Girard and Biblical Studies* (*Semeia* 33). Decatur, GA: Scholars Press, 1985.

CARRARA, Alberto. *Violenza, Sacro, Rivelazione Biblica: Il Pensiero di René Girard*. Milão: Vita e Pensiero, 1985.

DUMOUCHEL, Paul (org.). *Violence et Vérité – Actes du Colloque de Cerisy*. Paris: Grasset, 1985. Tradução para o inglês: *Violence and Truth: On the Work of René Girard*. Stanford: Stanford University Press, 1988.

ORSINI, Christine. *La Pensée de René Girard*. Paris: Retz, 1986.

To Honor René Girard. Presented on the Occasion of his Sixtieth Birthday by Colleagues, Students, Friends. Stanford French and Italian Studies 34. Saratoga, CA: Anma Libri, 1986.

LERMEN, Hans-Jürgen. *Raymund Schwagers Versuch einer Neuinterpretation der Erläsungstheologie im Anschluss an René Girard*. Mainz: Unveräffentlichte Diplomarbeit, 1987.

LASCARIS, André. *Advocaat van de Zondebok: Het Werk van René Girard en het Evangelie van Jezus*. Hilversum: Gooi & Sticht, 1987.

BEEK, Wouter van (org.). *Mimese en Geweld: Beschouwingen over het Werk van René Girard*. Kampen: Kok Agora, 1988.

HAMERTON-KELLY, Robert G. (org.). *Violent Origins: Walter Burkert, Rene Girard, and*

Jonathan Z. Smith on Ritual Killing and Cultural Formation. Stanford: Stanford University Press, 1988. (Este livro será publicado na Biblioteca René Girard)

GANS, Eric. *Science and Faith: The Anthropology of Revelation*. Savage, MD: Rowman & Littlefield, 1990.

ASSMANN, Hugo (org.). *René Girard com Teólogos da Libertação: Um Diálogo sobre Ídolos e Sacrifícios*. Petrópolis: Vozes, 1991. Tradução para o alemão: *Gätzenbilder und Opfer: René Girard im Gespräch mit der Befreiungstheologie*. (Beiträge zur mimetischen Theorie 2). Thaur, Münster: Druck u. Verlagshaus Thaur, LIT-Verlag, 1996. Tradução para o espanhol: *Sobre Ídolos y Sacrifícios: René Girard con Teólogos de la Liberación*. (Colección Economía-Teología). San José, Costa Rica: Editorial Departamento Ecuménico de Investigaciones, 1991.

ALISON, James. *A Theology of the Holy Trinity in the Light of the Thought of René Girard*. Oxford: Blackfriars, 1991.

RÉGIS, J. P. (org.). *Table Ronde Autour de René Girard*. (Publications des Groupes de Recherches Anglo-américaines 8). Tours: Université François Rabelais de Tours, 1991.

WILLIAMS, James G. *The Bible, Violence, and the Sacred: Liberation from the Myth of Sanctionated Violence*. Prefácio de René Girard. San Francisco: Harper, 1991.

LUNDAGER JENSEN, Hans Jürgen. *René Girard*. (Profil-Serien 1). Frederiksberg: Forlaget Anis, 1991.

HAMERTON-KELLY, Robert G. *Sacred Violence: Paul's Hermeneutic of the Cross*. Minneapolis: Augsburg Fortress, 1992. (Este livro será publicado na Biblioteca René Girard)

MCKENNA, Andrew J. (org.). *Violence and Difference: Girard, Derrida, and Deconstruction*. Chicago: University of Illinois Press, 1992.

LIVINGSTON, Paisley. *Models of Desire: René Girard and the Psychology of Mimesis*. Baltimore: The Johns Hopkins University Press, 1992.

LASCARIS, André e WEIGAND, Hans (orgs.). *Nabootsing: In Discussie over René Girard*. Kampen: Kok Agora, 1992.

GOLSAN, Richard J. *René Girard and Myth: An Introduction*. Nova York e Londres: Garland, 1993 (Nova York: Routledge, 2002). (Este livro será publicado na Biblioteca René Girard)

GANS, Eric. *Originary Thinking: Elements of Generative Anthropology*. Stanford: Stanford University Press, 1993.

HAMERTON-KELLY, Robert G. *The Gospel and the Sacred: Poetics of Violence in Mark*. Prefácio de René Girard. Minneapolis: Fortress Press, 1994.

BINABURO, J. A. Bakeaz (org.). *Pensando en la Violencia: Desde Walter Benjamin, Hannah Arendt, René Girard y Paul Ricoeur*. Centro de Documentación y Estudios para la Paz. Madri: Libros de la Catarata, 1994.

MCCRACKEN, David. *The Scandal of the Gospels: Jesus, Story, and Offense*. Oxford: Oxford University Press, 1994.

WALLACE, Mark I. e SMITH, Theophus H. *Curing Violence: Essays on René Girard*. Sonoma, CA: Polebridge Press, 1994.

BANDERA, Cesáreo. *The Sacred Game: The Role of the Sacred in the Genesis of Modern Literary Fiction*. University Park: Pennsylvania State University Press, 1994. (Este livro será publicado na Biblioteca René Girard)

ALISON, James. *The Joy of Being Wrong: An Essay in the Theology of Original Sin in the Light of the Mimetic Theory of René Girard*. Santiago de Chile: Instituto Pedro de Córdoba, 1994. (Este livro será publicado na Biblioteca René Girard)

LAGARDE, François. *René Girard ou la Christianisation des Sciences Humaines*. Nova York: Peter Lang, 1994.

TEIXEIRA, Alfredo. *A Pedra Rejeitada: O Eterno Retorno da Violência e a Singularidade da Revelação Evangélica na Obra de René Girard*. Porto: Universidade Católica Portuguesa, 1995.

BAILIE, Gil. *Violence Unveiled: Humanity at the Crossroads*. Nova York: Crossroad, 1995.

TOMELLERI, Stefano. *René Girard. La Matrice Sociale della Violenza*. Milão: F. Angeli, 1996.

GOODHART, Sandor. *Sacrificing Commentary: Reading the End of Literature*. Baltimore: Johns Hopkins University Press, 1996.

PELCKMANS, Paul e VANHEESWIJCK, Guido. *René Girard, het Labyrint van het Verlangen: Zes Opstellen*. Kampen/Kapellen: Kok Agora/Pelcckmans, 1996.

GANS, Eric. *Signs of Paradox: Irony, Resentment, and Other Mimetic Structures*. Stanford: Stanford University Press, 1997.

SANTOS, Laura Ferreira dos. *Pensar o Desejo: Freud, Girard, Deleuze*. Braga: Universidade do Minho, 1997.

GROTE, Jim e McGEENEY, John R. *Clever as Serpents: Business Ethics and Office Politics*. Minnesota: Liturgical Press, 1997. (Este livro será publicado na Biblioteca René Girard)

FEDERSCHMIDT, Karl H.; ATKINS, Ulrike; TEMME, Klaus (orgs.). *Violence and Sacrifice: Cultural Anthropological and Theological Aspects Taken from Five Continents*. Intercultural Pastoral Care and Counseling 4. Düsseldorf: SIPCC, 1998.

SWARTLEY, William M. (org.). *Violence Renounced: René Girard, Biblical Studies and Peacemaking*. Telford: Pandora Press, 2000.

FLEMING, Chris. *René Girard: Violence and Mimesis*. Cambridge: Polity, 2000.

ALISON, James. *Faith Beyond Resentment: Fragments Catholic and Gay.* Londres: Darton, Longman & Todd, 2001. Tradução para o português: *Fé Além do Ressentimento: Fragmentos Católicos em Voz Gay.* São Paulo: Editora É, 2010.

ANSPACH, Mark Rogin. *A Charge de Revanche: Figures Élémentaires de la Réciprocité.* Paris: Editions du Seuil, 2002. (Este livro será publicado na Biblioteca René Girard)

GOLSAN, Richard J. *René Girard and Myth.* Nova York: Routledge, 2002. (Este livro será publicado na Biblioteca René Girard)

DUPUY, Jean-Pierre. *Pour un Catastrophisme Éclairé. Quand l'Impossible est Certain.* Paris: Editions du Seuil, 2002. (Este livro será publicado na Biblioteca René Girard)

JOHNSEN, William A. *Violence and Modernism: Ibsen, Joyce, and Woolf.* Gainesville, FL: University Press of Florida, 2003. (Este livro será publicado na Biblioteca René Girard)

KIRWAN, Michael. *Discovering Girard.* Londres: Darton, Longman & Todd, 2004. (Este livro será publicado na Biblioteca René Girard)

BANDERA, Cesáreo. *Monda y Desnuda: La Humilde Historia de Don Quijote. Reflexiones sobre el Origen de la Novela Moderna.* Madri: Iberoamericana, 2005. (Este livro será publicado na Biblioteca René Girard)

VINOLO, Stéphane. *René Girard: Du Mimétisme à l'Hominisation, la Violence Différante.* Paris: L'Harmattan, 2005. (Este livro será publicado na Biblioteca René Girard)

INCHAUSTI, Robert. *Subversive Orthodoxy: Outlaws, Revolutionaries, and Other Christians in Disguise.* Grand Rapids, MI: Brazos Press, 2005. (Este livro será publicado na Biblioteca René Girard)

Fornari, Giuseppe. *Da Dioniso a Cristo. Conoscenza e Sacrificio nel Mondo Greco e nella Civiltà Occidentale*. Gênova-Milão: Marietti, 2006.

Andrade, Gabriel. *La Crítica Literaria de René Girard*. Mérida: Universidad del Zulia, 2007.

Hamerton-Kelly, Robert G. (org.). *Politics & Apocalypse*. East Lansing, MI: Michigan State University Press, 2007. (Este livro será publicado na Biblioteca René Girard)

Lance, Daniel. *Vous Avez Dit Elèves Difficiles? Education, Autorité et Dialogue*. Paris, L'Harmattan, 2007. (Este livro será publicado na Biblioteca René Girard)

Vinolo, Stéphane. *René Girard: Épistémologie du Sacré*. Paris: L'Harmattan, 2007. (Este livro será publicado na Biblioteca René Girard)

Oughourlian, Jean-Michel. *Genèse du Désir*. Paris: Carnets Nord, 2007. (Este livro será publicado na Biblioteca René Girard)

Alberg, Jeremiah. *A Reinterpretation of Rousseau: A Religious System*. Nova York: Palgrave Macmillan, 2007. (Este livro será publicado na Biblioteca René Girard)

Dupuy, Jean-Pierre. *Dans l'Oeil du Cyclone – Colloque de Cerisy*. Paris: Carnets Nord, 2008. (Este livro será publicado na Biblioteca René Girard)

Dupuy, Jean-Pierre. *La Marque du Sacré*. Paris: Carnets Nord, 2008. (Este livro será publicado na Biblioteca René Girard)

Anspach, Mark Rogin (org.). *René Girard*. Les Cahiers de l'Herne n. 89. Paris: L'Herne, 2008. (Este livro será publicado na Biblioteca René Girard)

Depoortere, Frederiek. *Christ in Postmodern Philosophy: Gianni Vattimo, Rene Girard, and Slavoj Zizek*. Londres: Continuum, 2008.

PALAVER, Wolfgang. *René Girards Mimetische Theorie. Im Kontext Kulturtheoretischer und Gesellschaftspolitischer Fragen.* 3. Auflage. Münster: LIT, 2008.

BARBERI, Maria Stella (org.). *Catastrofi Generative - Mito, Storia, Letteratura.* Massa: Transeuropa Edizioni, 2009. (Este livro será publicado na Biblioteca René Girard)

ANTONELLO, Pierpaolo e BUJATTI, Eleonora (orgs.). *La Violenza Allo Specchio. Passione e Sacrificio nel Cinema Contemporaneo.* Massa: Transeuropa Edizioni, 2009. (Este livro será publicado na Biblioteca René Girard)

RANIERI, John J. *Disturbing Revelation - Leo Strauss, Eric Voegelin, and the Bible.* Columbia, MO: University of Missouri Press, 2009. (Este livro será publicado na Biblioteca René Girard)

GOODHART, Sandor; JORGENSEN, J.; RYBA, T.; WILLIAMS, J. G. (orgs.). *For René Girard. Essays in Friendship and in Truth.* East Lansing, MI: Michigan State University Press, 2009.

ANSPACH, Mark Rogin. *Oedipe Mimétique.* Paris: Éditions de L'Herne, 2010. (Este livro será publicado na Biblioteca René Girard)

MENDOZA-ÁLVAREZ, Carlos. *El Dios Escondido de la Posmodernidad. Deseo, Memoria e Imaginación Escatológica. Ensayo de Teología Fundamental Posmoderna.* Guadalajara: ITESO, 2010. (Este livro será publicado na Biblioteca René Girard)

ANDRADE, Gabriel. *René Girard: Un Retrato Intelectual.* 2010. (Este livro será publicado na Biblioteca René Girard)

índice analítico

Anorexia, 10-13, 16-21, 26, 28, 30-31, 33, 40-41, 43, 45, 60, 64, 68-69, 72-74, 77-78, 82, 88, 90
  cultura da, 67
Ascetismo, 52, 65, 83
Autonomia,
  ilusão de, 9
Bode expiatório, 34, 49, 53-54, 92
Bulimia, 11-13, 16, 17, 31, 39-41, 43-44, 50, 59-60, 66-69, 71, 78
Consumo, 55-56
  ostentatório, 76
Contágio mimético, 19, 60
Conversão, 86
Crise de indiferenciação, 84, 91
Culto do corpo, 53
Cultura
  emergência da, 10
Desejo, 9, 11
  metafísico, 13
  mimético, 10-11, 15-16, 51-52, 89
  obsessivo, 80
  patologias do, 11
  triangularidade do, 9-10
Dialética do senhor e do escravo, 51
Duplo
  mimético, 13
  vínculo, 13, 15-16, 25, 36, 40, 48, 52, 55, 81
Escalada mimética, 15, 27, 30, 35, 55, 58-60, 67-68, 71, 83, 90-92
  sacrificial, 36
  vitimária, 34
Esnobismo, 55, 87
Estoicismo, 52
Futilidade mimética, 50
Igualitarismo, 15
Imitação, 10, 13, 25, 31, 33, 37, 50, 60, 68, 71, 86
Individualismo, 50, 53, 54, 82
Mediação externa, 10
  e hierarquia, 15
Mediação interna, 10, 15
  era da, 10, 15-16, 85
Mímesis, 17, 26
Minimalismo, 16, 68, 77
Modelo, 10, 12, 14, 21, 37, 42, 59, 77, 82, 85, 87
  midiático, 14, 31, 42, 83, 88
Modernismo, 16, 68
Mundo apocalíptico, 21
Neopaganismo, 53
Não consumo, 55
Narcisismo, 88
Niilismo, 47, 52, 78
Orgulho, 46
Objeto, 10
Obstáculo, 85
Paixão, 11
Paradoxo, 85
Politicamente correto, 12
Potlatch, 34, 54-58
Primeira Guerra Mundial, 59, 61

Relativismo, 47
Religião arcaica, 84, 94
Ressentimento, 62
Retorno ao arcaísmo, 94
Revolução Francesa, 15
Rito de iniciação, 82
Rivalidade, 11, 17, 19, 21, 25-26, 30, 33, 35, 37, 49, 51, 53, 56-57, 59-60, 65, 79, 82-83, 88, 90
  mimética, 10
Segunda Guerra Mundial, 59, 61
Teoria mimética, 10-13
Terrorismo, 20, 92
Violência, 15, 21, 34
  centralidade da, 10
Vítima, 34-6, 92
  da moda, 79, 92
  papel da, 11
Vontade de poder, 53, 83

índice onomástico

Anspach, Mark, 11-13, 23, 73
Apfeldorfer, Gérard, 88
Balzac, Honoré de, 85
Bateson, Gregory, 13
Botero, Fernando, 18-19
Bruch, Hilde, 19, 24, 29, 30, 32, 40, 89, 95
Camus, Albert, 78
Chantre, Benoît, 14
Clausewitz, Carl von, 30
Crawford, Cindy, 32
Domenach, Françoise, 23
Dostoiévski, Fiódor, 52
Eugênia de Montijo (Imperatriz), 59-60, 79, 80
Fonseca, Rubem, 15
Francisco José I, 58
Freud, Sigmund, 24-27, 37, 42, 88-89
Gandhi, Mahatma, 20
Gardner, Ava, 79
Giacometti, Alberto, 18-19
Gide, André, 23
Girard, René, 17, 21, 23, 25, 30, 34-35, 73, 78, 86-87
Grant, Stephanie, 69, 95
Gull, William, 28, 37, 60
Hamerton-Kelly, Robert, 23
Heckel, Francis, 23-24
Hobbes, Thomas, 60
Isabel da Áustria, ver Sissi
Júlio César, 44, 62
Kafka, Franz, 33-34, 69, 70, 85
Lacan, Jacques, 41
Lasègue, Ernest-Charles, 37, 60
Magno, Alexandre, 44
Mao Tse-Tung, 63
Marcé, Louis-Victor, 60
Monroe, Marilyn, 79
Moss, Kate, 78, 91
Munch, Edward, 13
Napoleão Bonaparte, 44, 52
Napoleão III, 59, 79
Nehru, Jawaharlal, 21
Nietzsche, Friedrich, 49, 53
Oughourlian, Jean-Michel, 11, 13, 17
Palazzoli, Mara Selvini, 11-12, 23, 28-29, 33, 35-36, 90
Pascal, Blaise, 52
Rembrandt, Harmenszoon van Rijn, 64
Rodrigue, Valérie, 69, 95
Rousseau, Jean-Jacques, 47
Rubens, Peter Paul, 64
Russell, Gerald F. M., 29, 39-40
Santo Agostinho, 52
Schütze, Gerd, 70, 95
Selvini, Matteo, 23
Shakespeare, William, 62, 77
Sissi, 58-60, 79-80
Slimane, Hedi, 76

Spears, Britney, 91
Stalin, Josef, 63
Stendhal, Henri-Marie
 Beyle, 52
Tacou, Laurence, 13,
 73-74, 84
Tarde, Gabriel, 60
Thiel, Peter, 23
Thoreau, Henry
 David, 47
Ticiano Vecellio, 64
Tintoretto (Jacopo
 Comin), 64
Vandereycken, René,
 59
Van Deth, Ron, 59, 95
Veblen, Thorstein, 54,
 76, 95
Vermeer, Johannes,
 64
Vigée, Claude, 70,
 73-74, 95
Winehouse, Amy, 91

biblioteca René Girard*
coordenação João Cezar de Castro Rocha

Dostoiévski: do duplo à unidade
René Girard

Anorexia e desejo mimético
René Girard

A conversão da arte
René Girard

René Girard: um retrato intelectual
Gabriel Andrade

Rematar Clausewitz: além *Da Guerra*
René Girard e Benoît Chantre

Evolução e conversão
René Girard, Pierpaolo Antonello e João Cezar de Castro Rocha

O tempo das catástrofes
Jean-Pierre Dupuy

"Despojada e despida": a humilde história de Dom Quixote
Cesáreo Bandera

Descobrindo Girard
Michael Kirwan

Violência e modernismo: Ibsen, Joyce e Woolf
William A. Johnsen

Quando começarem a acontecer essas coisas
René Girard e Michel Treguer

Espertos como serpentes
Jim Grote e John McGeeney

O pecado original à luz da ressurreição
James Alison

Violência sagrada
Robert Hamerton-Kelly

Aquele por quem o escândalo vem
René Girard

O Deus escondido da pós-modernidade
Carlos Mendoza-Álvarez

Deus: uma invenção?
René Girard, André Gounelle e Alain Houziaux

Teoria mimética: a obra de René Girard (6 aulas)
João Cezar de Castro Rocha

René Girard: do mimetismo à hominização
Stéphane Vinolo

O sacrifício
René Girard

O trágico e a piedade
René Girard e Michel Serres

* A Biblioteca reunirá cerca de 60 livros e os títulos acima serão os primeiros publicados.

Dados Internacionais de Catalogação na Publicação (CIP)
(Câmara Brasileira do Livro, SP, Brasil)

Girard, René
  Anorexia e desejo mimético / René Girard; tradução Carlos Nougué. -
São Paulo: É Realizações, 2011.

  Título original: Anorexie et désir mimétique.
  ISBN 978-85-8033-024-3

  1. Anorexia nervosa   2. Anorexia nervosa - Aspectos sociais   3. Bulimia
4. Distúrbios alimentares   I. Título.

11-06945   CDD-616.85262

Índices para catálogo sistemático:
1. Anorexia nervosa: Distúrbios alimentares e desejo mimético   616.85262

Este livro foi impresso pela Prol Editora Gráfica para É Realizações, em agosto de
2011. Os tipos usados são da família Rotis Serif Std e Rotis Semi Sans Std. O papel
do miolo é pólem bold 90g, e o da capa, cartão supremo 300g.